Andrea Camilleri

Italien d'origine sicilienne, né en 1925, Andrea Camilleri a longtemps travaillé pour le théâtre, la radio et la télévision, qui a diffusé son adaptation des enquêtes du commissaire Maigret. Ami de Leonardo Sciascia, il a publié des poèmes et des nouvelles, avant de se mettre à écrire dans la langue de cette Sicile qu'il a quittée tôt pour y revenir sans cesse. Depuis quatre ans, la rumeur d'abord, l'intérêt des médias ensuite, ont donné naissance en Italie à ce qu'on appelle le « phénomène Camilleri ». Parmi ses derniers romans, *La voce del violino* (*La voix du violon*) a connu un immense succès.

L'EXCURSION À TINDARI

ANDREA CAMILLERI

L'EXCURSION
À TINDARI

Traduit de l'italien (Sicile)
par Serge Quadruppani
avec l'aide de Maruzza Loria

Texte proposé par Serge Quadruppani

FLEUVE NOIR

Titre original :

LA GITA A TINDARI

Publié pour la première fois
par Sellerio Editore, Palermo (Sicile)

© 2000, Sellerio Editore, Palermo
© 2002, éditions Fleuve Noir, un département d'Univers Poche,
pour la traduction française
ISBN : 2-266-14021-3

Andrea Camilleri, la saveur d'une langue

L'œuvre littéraire d'Andrea Camilleri connaît dans
son pays un succès tel, par son ampleur et sa durée,
qu'on lui trouverait difficilement un équivalent dans le
demi-siècle qui vient de s'écouler en Italie. Une bonne
part de cette réussite tient à son usage si particulier de la
langue. D'une manière générale, elle trouve son fonde-
ment dans le très riche idiome constitué au fil des
siècles par les Siciliens cultivés, au point de contact
entre le dialecte populaire de l'île, la langue des autres
régions d'Italie (et plus tard l'italien officiel, celui d'un
Etat central tardif et lointain – langue inodore et améri-
canisée dont la télévision assure aujourd'hui l'hégémo-
nie officielle), et les langues des peuples qui, depuis
deux millénaires, ont tour à tour débarqué en Sicile, se
sont emparées d'elle avant qu'elle ne s'empare d'eux.

Rendre la saveur de cette langue est une entreprise
délicate. Il faut d'abord faire percevoir les trois niveaux
sur lesquels elle joue, chacun d'eux posant des problèmes spécifiques. Le premier niveau est celui de l'italien « officiel », qui ne présente pas de difficulté
particulière pour le traducteur : on le transpose dans un
français plutôt neutre, teinté, comme l'italien de l'auteur,

de quelques familiarités. Le troisième niveau est celui du dialecte pur, qu'emploient les gens du peuple, ou parfois Montalbano : dans ces passages, toujours dialogués, soit le dialecte est suffisamment près de l'italien pour se passer de traduction, soit Camilleri en fournit une à la suite. A ce niveau-là, j'ai simplement traduit le dialecte en français en prenant la liberté de signaler dans le texte que le dialogue a lieu en sicilien (et en reproduisant parfois, pour la faveur, les phrases en dialecte, à côté du français).

La difficulté principale se présente au niveau intermédiaire, le deuxième, celui de l'italien sicilianisé, qui est à la fois celui du narrateur, de Montalbano et de la plupart des personnages (même Ingrid, la Suédoise, a appris l'italien en Sicile et emploie les tournures locales). Il est truffé de termes qui ne sont pas du pur dialecte, mais plutôt des régionalismes (pour citer deux exemples très fréquents, *taliare* pour *guardare*, regarder ; *spiare* pour *chiedere*, demander). Ces mots, Camilleri n'en fournit pas la traduction, car il les a placés de telle manière qu'on en saisisse le sens grâce au contexte (et aussi, souvent, grâce à la sonorité proche d'un mot connu). Voilà pourquoi les Italiens de bonne volonté (l'immense majorité, mais on en trouve encore qui prétendent que l'idiome de Montalbano leur échappe) n'ont pas besoin de glossaire, et goûtent l'étrangeté de la langue en la comprenant pourtant.

Pour ne pas se donner le ridicule de remplacer purement et simplement l'italo-sicilien par un parler régional français (un Montalbano émaillant ses phrases de mots flamands, bretons ou lyonnais aurait-il encore quelque chose de sicilien ?), il a fallu renoncer à chercher terme à terme des équivalents à la totalité des régionalismes. Il ne suffit certes pas d'être excellent italianiste, même estampillé par l'université, pour faire une bonne traduction : dans cette activité, une part de création littéraire est indispensable. Mais d'un autre côté, le traducteur doit impérativement éviter de disputer son rôle à l'auteur : il était donc hors de question d'inventer une langue artificielle, même si celle de Camilleri l'est dans une certaine mesure (il ne s'agit pas d'une pure transcription, mais d'une recréation personnelle à partir du parler de la région d'Agrigente).

J'ai donc placé en certains endroits, comme des bornes rappelant à quels niveaux on se trouve, des termes du français du Midi. D'abord, parce que le français occitanisé s'est assez répandu, par diverses voies culturelles, pour que, jusqu'à Calais, on comprenne ce qu'est un « minot ». Ensuite, ces régionalismes apportent en français un parfum de Sud, parfaitement adapté pour parler de la Sicile. Un œil objectif constatera toutefois que je me suis abstenu d'insister, et de trop tirer Montalbano vers le provençalisme pagnolesque.

La sicilianité de notre auteur s'exprime pas seulement par le vocabulaire, mais aussi dans une syntaxe. Ce qui est ici beaucoup plus facile à rendre. *Siciliano sono*, « Sicilien je suis » : on trouvera beaucoup dans le cours du texte, cette tournure de la langue parlée largement utilisée par Camilleri, et dont le traducteur s'arrange, de façon qu'à la fin le verbe se retrouve. De même ai-je conservé l'emploi du passé simple, là où l'italien (et le français) recourrait au présent ou au passé composé : *Chi successi ?* « Que se passa-t-il ? » demande l'homme de la rue vigataise (au lieu de « que se passe-t-il ? »). Point de pittoresque superficiel là-dedans. Ce passé simple qui, ailleurs, appartient à la langue écrite trahit une emphase lyrique présente dans le moindre échange langagier du peuple de Sicile.

En tout cas, mon travail de traduction a été orienté par le souci de faire partager au lecteur français le plaisir qu'éprouve son semblable italien à la lecture de Camilleri. Outre le sens du récit et du dialogue, outre le regard profondément humain sur les misères psychologiques et sociales, ce plaisir tient sûrement au sentiment d'étrange familiarité qu'arrive à communiquer l'auteur. Familiarité d'une langue et d'une société qui nous restent très proches, étrangeté radicale de tournures et d'une culture forgées par une nature si particulière et une histoire si singulière. Ce qui donne, pour finir, la saveur inimitable, aux papilles comme à l'oreille, d'une Sicile immuable et parfaitement moderne.

Serge Quadruppani

Un

Qu'il était éveillé, il s'en rendait compte par le fait que sa tête fonctionnait logiquement et non suivant l'absurde labyrinthe du rêve, qu'il entendait le clapotis de la mer et que la brise de l'aube entrait par la fenêtre grande ouverte. Mais il continuait obstinément à garder les yeux fermés ; il savait que toute la mauvaise humeur qui lui macérait à l'intérieur allait lui poisser l'extérieur dès qu'il aurait ouvert les yeux, lui faisant faire ou dire des conneries dont il devrait se repentir après.

Il perçut le sifflotement de quelqu'un qui marchait sur la plage. A cette heure-ci, c'était certainement un type qui se rendait à Vigàta pour sa besogne. L'air qu'il sifflotait lui était connu, mais il ne se souvenait ni du titre ni des paroles. Et d'ailleurs, quelle importance ? Il n'avait jamais réussi à siffler, même pas en se mettant un doigt dans le cul. « Il se mit un doigt dans l'cul / et fit un sifflement aigu / c'était le signal convenu / pour les gardes de la ville »... C'était une ineptie qu'un copain milanais de l'école de police lui avait chantonnée quelquefois et qui lui était resté gravée dans la tête. A cause de cette incapacité de siffler, à l'école primaire, il avait été la victime de prédilection de ses camarades

11

de classe, maîtres dans l'art de siffler à la façon des bergers, des marins, des montagnards en y ajoutant des variations inspirées. Ses camarades ! Voilà ce qui lui avait fait passer cette mauvaise nuit ! Le souvenir de ses camarades et l'information lue dans le journal, peu avant d'aller se coucher, que le *dottor* Carlo Militello, pas encore cinquante ans, avait été nommé Président de la deuxième banque de l'île. Le journal adressait ses vœux les plus sincères au néo-Président dont il publiait la photo : lunettes sûrement en or, vêtements griffés, chemise impeccable, cravate ultraraffinée. Un homme arrivé, un homme d'ordre, défenseur des grandes Valeurs (aussi bien celles de la Bourse que celles de la Famille, de la Patrie et de la Liberté). Il s'en souvenait bien, Montalbano, de ce camarade non pas de l'école primaire, mais de 68 !

« Nous pendrons les ennemis du peuple par leurs cravates ! »

« Les banques ne sont bonnes qu'à être dévalisées ! »

Carlo Militello, surnommé « Carlo Martello », Charles Martel, premièrement à cause de ses allures de chef suprême et deuxièmement parce que, contre ses adversaires, il assénait les mots comme des coups de marteau et les torgnoles pire que des coups de marteau. Le plus intransigeant, le plus inflexible, qu'à côté de lui, Ho Chi Minh dont on invoquait tellement le nom dans les manifs aurait paru un réformiste social-démocrate. Il nous avait tous obligés à ne pas fumer de cigarettes pour ne pas enrichir le Monopole d'Etat ; les pétards oui, à volonté. Il prétendait qu'à un seul moment de sa vie, le camarade Staline avait bien agi : c'était quand il s'était mis à voler les banques pour financer le parti. « Etat » était un mot qui les rendait tous malades, il les mettait fous furieux comme des taureaux devant un chiffon rouge. De ces jours-là, Montalbano se souvenait surtout d'un poème de Pasolini qui soutenait la police contre les étudiants de Valle Giulia, à Rome. Tous ses camarades avaient craché sur ces vers, lui il avait tenté de les défendre : « Mais c'est une belle poésie. » A ce moment, Carlo Martello, si on l'avait pas retenu, il lui aurait pété la gueule avec un de ses marrons meurtriers. Alors pourquoi ce poème ne lui déplaisait-il pas ? Y voyait-il déjà inscrit son destin de flic ? En tout cas, au fil des années, il avait vu ses camarades, les mythiques de 68, commencer à « raisonner ». Et à force de raisonner, les colères abstraites s'étaient ramollies, puis s'étaient transformées en consentements concrets. Et maintenant, exception faite pour certains qui subissaient avec une extraordinaire dignité depuis plus de dix ans, procès et prison pour un crime manifestement ni commis ni commandité, exception faite encore pour un autre obscurément assassiné, ceux qui restaient s'étaient tous fort bien casés, cabriolant de gauche à droite, puis encore à gauche, puis encore à droite. Et qui dirigeait un journal, qui une télévision, qui était devenu un grand commis de l'Etat, qui député ou sénateur. Puisqu'ils n'avaient pas réussi à changer la société, ils avaient changé eux-mêmes. Ou ils n'avaient même pas eu besoin de changer, car en 68 ils avaient seulement joué la comédie, endossant costumes et masques de révolutionnaires. La nomination de Carlo ex-Martello, il ne l'avait vraiment pas digérée. Notamment parce qu'elle lui avait provoqué une autre pensée qui était certainement la plus pénible de toutes.

« Tu n'es pas du même acabit que ceux que tu critiques, peut-être ? Tu ne sers pas cet Etat que tu combattais farouchement à dix-huit ans ? Ou c'est l'envie qui te fait baver, vu que t'es payé au lance-pierre alors que les autres se font des milliards ? »

Un coup de vent fit battre la persienne. Non, il ne la

fermerait pas, même sur ordre du Père Eternel. Il y avait le tracassin Fazio :

— *Dottore*, excusez-moi, mais vous allez vraiment vous les chercher, les ennuis ! Non seulement vous habitez dans une villa isolée et en rez-de-chaussée, mais en plus vous laissez la fenêtre ouverte la nuit ! Comme ça, s'y a quelqu'un qui vous veut du mal, et ça manque pas, il est libre d'entrer chez vous quand et comme il veut !

Il y avait l'autre tracassin qui s'appelait Livia :

— Non, Salvo, la fenêtre ouverte la nuit, non !

— Mais toi, à Boccadasse, tu dors pas la fenêtre ouverte ?

— Qu'est-ce que ça a à voir ? J'habite au troisième étage, d'abord, et puis à Boccadasse, il n'y a pas les voleurs qu'il y a ici.

Et donc, quand une nuit, Livia, bouleversée, lui avait téléphoné en lui disant que, pendant qu'elle était dehors, les voleurs avaient cambriolé chez elle à Boccadasse, lui, après avoir adressé un tacite remerciement aux voleurs génois, il avait réussi à se montrer navré, mais pas autant qu'il l'aurait dû.

Le téléphone se mit à sonner.

Sa première réaction fut de fermer encore plus les yeux, mais ça ne marcha pas, il est notoire que la vue n'est pas l'ouïe. Il aurait dû se boucher les oreilles, mais il préféra glisser sa tête sous l'oreiller. Rien : faible, lointaine, la sonnerie insistait. Il se leva en jurant, il alla dans l'autre pièce et souleva le récepteur.

— Montalbano je suis. Je devrais dire allô, mais je le dis pas. Sincèrement, je me sens pas encore prêt à me jeter à l'eau.

A l'autre bout, il y eut un long silence. Puis arriva le bruit du téléphone raccroché. Et maintenant qu'il avait eu ce beau trait de génie, que faire ? Se recoucher en continuant à pinser au néo-Président de l'Interbanco qui, lorsqu'il était encore le camarade Martello, avait publiquement chié sur une boîte pleine de billets de dix mille ? Ou se mettre en maillot et se faire une belle baignade dans l'eau glacée ? Il opta pour la deuxième solution, peut-être que le bain allait l'aider à se calmer. Il entra dans la mer et fut saisi d'une demi-paralysie. Il voulait le comprendre, oui ou non, qu'à presque cinquante ans, c'était peut-être pas bien malin ? C'était plus le moment pour ce genre d'extravagances. Il rentra tristement vers chez lui et à une dizaine de mètres de distance, il entendit déjà la sonnerie du téléphone. La seule chose à faire était d'accepter les événements comme ils se présentaient. Et, pour commencer, répondre à ce coup de fil.

C'était Fazio.

— Dis-moi, par curiosité. C'est toi qui as téléphoné il y a un quart d'heure ?

— Oh que non, *dottore*. Ce fut Catarella. Mais il dit que vous lui avez répondu que vous étiez pas prêt à vous jeter à l'eau. Alors j'ai laissé passer un petit moment et j'ai rappelé moi. Maintenant vous vous sentez prêt, *dottore* ?

— Fazio, comment tu fais pour être aussi spirituel dès les aurores ? Tu es au bureau ?

— Oh que non, *dottore*. On a tué un type. Tchacatac !

— Qu'est-ce que ça veut dire, tchacatac ?

— Qu'on lui a tiré dessus.

— Non. Un coup de pistolet fait bang, un de *lupara*[1]

1. *Lupara* : fusil de chasse à canon scié. Instrument traditionnel de règlement des conflits dans l'économie semi-clandestine sicilienne. *(N.d.T.)*

15

fait wang, une rafale de mitraillette fait ratatatatata, un coup de couteau fait swiss.

— Bang ce fut, *dottore*. Un seul coup. Au visage.

— Où tu es ?

— Sur le lieu du crime. C'est comme ça qu'on dit ? 44, via Cavour. Vous savez où c'est ?

— Oui, je sais. On l'a tué chez lui ?

— Il y rentrait, chez lui. Il venait à peine de glisser la clé dans la porte d'entrée. Il est resté sur le trottoir.

Peut-on dire que l'assassinat d'une personne tombe à pic ? Non, jamais : la mort est toujours la mort. Mais le fait concret et inexplicable était que Montalbano, tandis qu'il conduisait en direction du 44, via Cavour, sentait sa mauvaise humeur lui passer. Se lancer dans une enquête allait l'aider à ôter de sa tête les pinsées noires qu'il avait eues en se réveillant.

Lorsqu'il arriva sur place, il dut jouer des coudes parmi les gens. Comme des mouches sur de la merde, bien que ce soit seulement le petit jour, hommes et femmes en pleine agitation bouchaient la rue. Il y avait même une nénette avec un minot dans les bras, lequel regardait la scène avec des yeux écarquillés. La méthode pédagogique de la jeune maman fit vriller les roubignoles au commissaire.

— Allez-vous-en ! hurla-t-il. Tout le monde !

Certains s'éloignèrent immédiatement, d'autres furent bousculés par Galluzzo. On continuait d'entendre une plainte, une espèce de gémissement. Celle qui l'émettait était une quinquagénaire, entièrement et strictement vêtue de deuil, deux hommes la retenaient de force afin qu'elle ne se jette pas sur le cadavre qui gisait sur le trottoir le ventre en l'air, les traits de son

16

visage rendus méconnaissables par le coup de feu qu'il avait reçu entre les deux yeux.

— Emmenez cette femme.

— Mais c'est sa mère, *dottore*.

— Qu'elle aille pleurer chez elle. Ici, elle fait que gêner. Qui l'a avertie ? Elle a entendu le coup de feu et elle est descendue ?

— Oh que non, *dottore*. Le coup de feu, elle a pas pu l'entendre, vu que cette dame habite via Autonomia Siciliana, au 12. C'est évident que quelqu'un l'a prévenue.

— Et elle était là, prête, avec sa robe noire déjà sur le dos ?

— Elle est veuve, *dottore*.

— Bon, mettez-y les formes, mais emmenez-la d'ici.

Quand Montalbano parlait comme ça, ça voulait dire qu'il n'y avait pas d'histoires. Fazio s'approcha des deux agents, il chuchota, les deux hommes entraînèrent la femme.

Le commissaire se mit à côté du Dr Pasquano qui était accroupi près de la tête de la victime.

— Alors ? demanda-t-il.

— A l'or ou à l'argent, répondit le docteur.

Et il poursuivit, plus rogue que Montalbano :

— Vous avez besoin que ce soit moi qui vous explique le problème ? On l'a tué d'un seul coup de feu. Précis, au milieu du front. Derrière, le trou de sortie a emporté la moitié de la boîte crânienne. Vous voyez ces grumeaux ? C'est une partie de la cervelle. Ça vous suffit ?

— Quand ça s'est produit, d'après vous ?

— Il y a quelques heures. Vers quatre, cinq heures.

Non loin de là, Vanni Arquà examinait, de l'œil d'un archéologue qui découvre un vestige paléolithique, une pierre des plus normales. Montalbano, le nouveau chef

de la Scientifique, il pouvait pas le saquer et cette antipathie était clairement réciproque.

— On l'a tué avec ça ? demanda le commissaire en
indiquant la pierre d'un petit air séraphique.

Vanni Arquà le regarda avec un mépris évident.

— Mais ne dites pas de bêtises ! D'un coup d'arme à
feu.

— Vous avez récupéré le projectile ?

— Oui. Il a atterri dans le bois du portail qui était
encore fermé.

— La douille ?

— Ecoutez, commissaire, je ne suis pas tenu de
répondre à vos questions. L'enquête, suivant les ordres
du questeur, sera menée par le chef de la Criminelle.
Vous, vous ne serez là que pour apporter votre support.

— Et qu'est-ce que je suis en train de faire ? Je ne
vous supporte pas avec une sainte patience ?

Le *dottor* Tommaseo, le substitut, n'avait toujours
pas paru. Et il n'était donc pas possible d'emporter le
corps.

— Fazio, comment ça se fait que le *dottor* Augello
n'est pas là ?

— Il arrive. Il a dormi chez des amis, à Fela. On l'a
joint sur son portable.

A Fela ? Pour arriver à Vigàta, il lui faudrait encore
une heure. Et on s'imagine aussi dans quel état il allait
se présenter ! Mort de sommeil et de fatigue ! Tu parles
d'amis ! Il avait sûrement passé la nuit avec une femme
dont le mari était allé se gratter les cornes ailleurs.

Galluzzo s'approcha.

— Le *dottor* Tommaseo vient juste de téléphoner. Il
demande comme ça si on pourrait aller le chercher avec
une voiture. Il s'est payé un poteau à trois kilomètres de
Montelusa. Qu'est-ce qu'on fait ?

— Vas-y.

Il était rare que Nicolò Tommaseo parvienne à arriver dans un endroit avec son auto. Il conduisait comme un chien drogué. Le commissaire n'eut pas envie de l'attendre. Avant de s'éloigner, il regarda le mort.

Un petit jeune homme d'un peu plus de vingt ans, jean, blouson, petit catogan, boucle d'oreille. Ses chaussures avaient dû lui coûter une fortune.

— Fazio, je vais au bureau. Toi tu attends le substitut et le chef de la Criminelle. On se voit tout à l'heure.

En fait, il décida d'aller au port. Il laissa la voiture sur le quai, commença à marcher, sans forcer, sur le bras est, vers le phare. Le soleil s'était levé, rouge sang, apparemment content de s'en être sorti encore une fois. Au ras de l'horizon, il y avait trois taches noires : des chalutiers retardataires qui rentraient. Il ouvrit grande la bouche et inspira à fond une bouffée d'air. Il aimait ce relent, l'odeur du port de Vigàta.

— Qu'est-ce que tu racontes ? Tous les ports puent pareil, lui avait un jour répliqué Livia.

Ce n'était pas vrai, chaque localité maritime avait un relent différent. Celui de Vigàta était un dosage parfait de cordage mouillé, filets séchés au soleil, iode, poissons pourris, algues vivantes et algues mortes, goudron. Et vraiment tout au fond, une arrière-odeur de mazout. Incomparable. Avant d'arriver au rocher plat qui se trouvait sous le phare, il se pencha et prit une poignée de cailloux.

Il gagna le rocher, s'assit. Il regarda l'eau et il lui sembla y voir apparaître confusément le visage de Carlo Martello. Avec violence, il lança contre lui la poignée de cailloux. L'image se brisa, trembla, disparut. Montalbano s'alluma une cigarette.

19

— *Dottori, dottori,* ah, *dottori !* l'assaillit Catarella dès qu'il le vit paraître sur le seuil du commissariat. Trois fois, il tilifona le *dottori* Lacté, celui avec le esse au fond ! Y veut vous parler en pirsonne pirsonnellement ! Il dit qu'une chose très urgente d'urgence c'est !

Il devinait ce qu'allait lui dire Lactes, le chef de cabinet du questeur, surnommé « Lactes et Miels » à cause de ses manières onctueuses qui sentaient la soutane.

Le questeur Luca Bonetti-Alderighi des Marquis de Villabella avait été explicite et dur. Montalbano ne le regardait jamais dans les yeux, mais un peu plus haut ; il était toujours sous le charme de la chevelure de son supérieur, très abondante et avec un gros toupet tordu en l'air, comme certains cacas d'homme qu'on trouve abandonnés en rase campagne. Voyant qu'il n'était pas regardé, cette fois-là le questeur s'était trompé et avait cru avoir enfin terrorisé le commissaire.

— Montalbano, je vous le dis une fois pour toutes à l'occasion de l'arrivée du nouveau chef de la Criminelle, le *dottor* Ernesto Gribaudo. Vous ferez fonction de support. Dans votre commissariat, vous pourrez vous occuper seulement des petites choses et laisser la Criminelle, en la personne du *dottor* Gribaudo ou de son adjoint, s'occuper des grosses.

Ernesto Gribaudo. Légendaire. Une fois, en regardant le thorax d'un homme abattu d'une rafale de kalachnikov, il avait déclaré que l'homme était mort de douze coups de couteau assénés d'affilée.

— Excusez-moi, monsieur le questeur, pourriez-vous me fournir quelques exemples pratiques ?

Luca Bonetti-Alderighi s'était senti envahi d'orgueil et de satisfaction. Montalbano se tenait debout devant lui de l'autre côté du bureau, légèrement penché en avant, un humble sourire sur les lèvres. Le ton, de plus, était quasi implorant. Il le tenait dans sa poigne !

— Que voulez-vous dire, Montalbano ? Je n'ai pas saisi les exemples que vous vouliez.

— Je voudrais savoir quelles sont les choses que je dois considérer comme petites et quelles sont les grosses.

Là, Montalbano s'était félicité lui-même : l'imitation de l'immortel Fantozzi[1] de Paolo Villaggio lui était sortie que c'était une merveille.

— Quelle question, Montalbano ! Larcins, litiges, menus trafics, rixes, contrôle des étrangers à la CEE, ça ce sont des petites choses. Le meurtre non, ça c'en est une grosse.

— Je peux prendre des notes ? avait demandé Montalbano en tirant de sa poche un bout de papier et un stylo.

Le questeur l'avait regardé, sidéré. Et le commissaire eut peur durant un instant : peut-être avait-il poussé le bouchon trop loin et l'autre avait compris qu'il se foutait de sa gueule.

Eh bien non. Le questeur avait eu une moue de mépris.

— Faites donc.

Et à présent Lactes allait lui confirmer les ordres péremptoires du questeur. Un meurtre ne rentrait pas dans ses prérogatives, c'était pour la Criminelle. Il fit le numéro du chef de cabinet.

— Montalbano, très cher ! Comment allez-vous ? Comment allez-vous ? La famille ?

Quelle famille ? Il était orphelin et même pas marié.

— Tout le monde va très bien, merci, *dottor* Lactes. Et la vôtre ?

— Tout va bien, la Madone en soit remerciée.

---

1. Ugo Fantozzi : personnage comique de sketches télévisés puis de films, inventé et interprété par Paolo Villaggio dans les années 70, du type « gros dégueulasse ». *(N.d.T.)*

Ecoutez, Montalbano, à propos du meurtre survenu cette nuit à Vigàta, monsieur le questeur…

— Je sais déjà, *dottore*. Je ne dois pas m'en occuper.

— Mais non ! Mais jamais de la vie ! Je suis là à vous téléphoner parce qu'au contraire monsieur le questeur désirait que vous vous en occupiez, vous.

Montalbano fut pris d'un léger malaise. Que signifiait cette histoire ?

Il ne connaissait même pas les données concernant le mort. Tu vas voir qu'on venait de découvrir que le jeune homme assassiné était le fils d'une personnalité importante ? Qu'ils lui flanquaient sur le dos un chancre géant ? Pas une patate bouillante, mais un tison chauffé à blanc ?

— Excusez-moi, *dottore*. Je me suis rendu sur place, mais je n'ai pas lancé les investigations. Vous comprenez, je ne voulais pas envahir ce domaine.

— Et je vous comprends très bien, Montalbano ! La Madone en soit remerciée, dans notre questure, nous avons affaire à des gens d'une sensibilité exquise !

— Pourquoi est-ce que le *dottor* Gribaudo ne s'en occupe pas ?

— Vous n'êtes pas au courant ?

— Absolument pas.

— Eh bien, le *dottor* Gribaudo a dû aller, la semaine dernière, à Beyrouth pour un congrès important sur…

— Je sais. Il a été retenu à Beyrouth ?

— Non, non, il est rentré, mais sitôt de retour, il a été pris d'une violente dysenterie. On a craint une forme de choléra, vous savez, dans ces coins-là ce n'est pas rare, mais enfin, que la Madone en soit remerciée, ce n'était pas ça.

Montalbano remercia aussi la Madone d'avoir forcé Gribaudo à ne pas pouvoir s'éloigner à plus d'un demi-mètre d'un chiotte.

— Et son adjoint, Foti ?

— Il était à New York pour le congrès organisé par Rudolph Giuliani, vous savez, le maire de « tolérance zéro ». Le congrès traitait des meilleures façons de maintenir l'ordre dans une métropole…

— Il n'est pas fini depuis deux jours ?

— Certainement, certainement. Mais, vous voyez, le *dottor* Foti, avant de rentrer en Italie, s'est promené un peu dans New York. On lui a tiré dans la jambe pour lui voler son portefeuille. Il est à l'hôpital. Que la Madone en soit remerciée, rien de grave.

Fazio réapparut à dix heures passées.

— Comment ça se fait que vous rentrez si tard ?

— *Dottore*, je vous en prie, ne m'en parlez pas ! D'abord on a dû attendre le substitut du substitut ! Après…

— Attends. Qu'est-ce que tu veux dire ?

Fazio leva les yeux au ciel, reparler de ça lui redonnait les nerfs.

— Donc, quand Galluzzo est allé chercher le substitut Tommaseo qui s'était payé un arbre…

— Mais c'était pas un poteau ?

— Oh que non, *dottore*, à lui ça lui a semblé un poteau, mais un arbre c'était. Bref, Tommaseo s'était cogné au front, il saignait. Alors Galluzzo l'a accompagné à Montelusa, au poste de secours. De là, Tommaseo qui s'était pris un mal de tête, téléphona pour être remplacé. Mais il était tôt et au palais il n'y avait personne. Tommaseo a appelé un collègue chez lui, le *dottor* Nicotra. Et alors on a dû attindre que le *dottor* Nicotra se réveille, s'habille, se prenne le café, monte en voiture et arrive. Mais pendant ce temps le *dottor* Gribaudo n'était toujours pas là. Et son adjoint non plus. Quand enfin l'ambulance est arrivée et qu'ils ont emporté le corps, moi j'ai attindu une dizaine de minutes que la Criminelle arrive. Et après, vu que personne ne venait, je suis parti. Si le *dottor* Gribaudo veut me voir, qu'il vienne me chercher ici.

— Qu'est-ce que tu as appris sur cet assassinat ?

— Et qu'est-ce que vous en avez à foutre, *dottore*, avec tout le respect que je vous dois ? C'est ceux de la Criminelle qui doivent s'en occuper.

— Gribaudo ne viendra pas, Fazio. Il est enfermé dans les vécés en train de chier son âme. Foti, on lui a tiré dessus à New York. Lactes m'a téléphoné. C'est nous qui devons nous occuper de cette affaire.

Fazio s'assit, les yeux brillants de contentement. Et aussitôt, il tira de sa poche un feuillet écrit tout petit. Il commença à lire.

— Sanfilippo Emanuele, dit Nenè, fils de feu Gerlando et de Patò Natalina…

— Ça suffit comme ça, dit Montalbano.

Il s'était énervé à cause de ce qu'il appelait le « complexe de l'employé d'état civil » dont souffrait Fazio. Mais il était encore plus énervé par le ton de voix sur lequel il se mettait à énumérer dates de naissance, parentés, mariages. Fazio pigea au vol.

— Excusez-moi, *dottore*.

Mais il ne remit pas la feuille dans sa poche.

— Je la garde comme aide-mémoire, se justifia-t-il.

— Ce Sanfilippo, quel âge il avait ?

— Vingt ans et trois mois.

— Il se droguait ? Il trafiquait ?

— Apparemment pas.

— Il travaillait ?

— Non.

— Il habitait via Cavour ?

— Oh que oui. Un appartement au troisième étage,

24

salon, deux chambres, salle de bains et cuisine. Il y vivait seul.

— Acheté ou loué ?

— Loué. Huit cent mille lires par mois.

— L'argent, c'est sa mère qui lui donnait ?

— Elle ? C'est une pauvre femme, *dottore*. Elle vit avec une retraite de cinq cent mille par mois. D'après moi, les choses se sont passées de cette façon. Nenè Sanfilippo, vers quatre heures ce matin, gare sa voiture juste en face du portail, il traverse la rue et…

— Quelle voiture c'est ?

— Une Punto. Mais il en avait une autre dans le garage. Une Duetto. Vous voyez ce que je veux dire ?

— Un type qui foutait rien ?

— Oh que oui, monsieur. Et il faut voir ce qu'il avait chez lui ! Tout dernier modèle, la télé, il s'était fait mettre la parabole sur le toit, ordinateur, magnétoscope, caméra vidéo, fax, réfrigérateur… Et pensez que j'ai pas bien regardé. Il y a des cassettes, des disques et des CD-Rom pour l'ordinateur… Il va falloir contrôler.

— On a des nouvelles de Mimì ?

Fazio, qui s'était enflammé, fut désorienté.

— Qui ? Ah, oui. Le *dottor* Augello ? Il fut là avant qu'arrive le substitut du substitut. Il regarda et après il s'en alla.

— Tu sais où ?

— Bof. Pour en revenir au sujet de tout à l'heure, Nenè Sanfilippo glisse la clé dans la serrure et à ce moment-là quelqu'un l'appelle.

— Comment tu le sais ?

— Parce qu'on l'a flingué de face, *dottore*. En s'entendant appeler, Sanfilippo se retourne et fait quelques pas vers la personne qui l'a interpellé. Il pense que ça va être bref, parce qu'il laisse la clé dans la serrure, il ne la remet pas dans sa poche.

— Il y a eu lutte ?

— Il semble pas.

— Tu as vérifié les clés ?

— Il y en avait cinq, *dottore*. Deux de la via Cavour, portail et porte. Deux de chez sa mère, portail et porte. La cinquième est une de ces clés ultramodernes dont les vendeurs assurent qu'on peut pas les dupliquer. On ne sait pas pour quelle porte elle lui servait.

— Un jeune homme intéressant, ce Sanfilippo. Il y a des témoins ?

Fazio se mit à rire.

— Vous voulez galéjer, *dottore* ?

Deux

Ils furent interrompus par des vociférations qui provenaient du hall. Pas de doute, on s'engueulait.

— Va voir.

Fazio sortit, les cris se calmèrent, peu de temps après il revint.

— C'est un monsieur qui s'engueulait avec Catarella qui ne le laissait pas passer. Il veut absolument parler avec vous.

— Qu'il attende.

— Il m'a l'air plutôt agité, *dottore*.

— Voyons.

Un homme à lunettes d'une quarantaine d'années, habillé avec soin, raie sur le côté, l'air d'un respectable employé de bureau.

— Merci de m'avoir reçu. Vous êtes le commissaire Montalbano, n'est-ce pas ? Je m'appelle Davide Griffo et je suis navré d'avoir élevé la voix, mais je ne comprenais pas ce que votre agent me disait. Il est étranger ?

Montalbano préféra laisser courir.

— Je vous écoute.

— Vous voyez, je vis à Messine, je travaille à la

27

mairie. Je suis marié, fils unique. Mes parents habitent ici. Je suis inquiet pour eux.

— Pourquoi ?

— De Messine je téléphone deux fois par semaine, le jeudi et le dimanche. Voilà deux soirs, dimanche, ils ne m'ont pas répondu. Et depuis je n'ai plus de nouvelles. J'ai passé des heures d'enfer, et puis ma femme m'a dit de prendre la voiture et de venir à Vigàta. Hier soir, j'ai téléphoné à la concierge pour savoir si elle avait la clé de l'appartement de mes parents. Elle m'a répondu que non. Ma femme m'a conseillé de m'adresser à vous. Elle vous a vu deux fois à la télévision.

— Vous voulez porter plainte ?

— Je voudrais d'abord l'autorisation de faire enfoncer la porte.

Sa voix se fêla.

— Il a pu se passer quelque chose de grave, commissaire.

— D'accord. Fazio, appelle Gallo.

Fazio sortit et revint avec son collègue.

— Gallo, accompagne ce monsieur. Il doit faire enfoncer la porte de l'appartement de ses parents. Depuis dimanche dernier, il n'en a pas de nouvelles. Où avez-vous dit qu'ils habitent ?

— Je ne l'ai pas encore dit. Au 44, via Cavour.

Montalbano en fut tout estourbi.

— Sainte Madone ! dit Fazio.

Gallo fut pris d'une violente quinte de toux, il sortit de la pièce en quête d'un verre d'eau.

Davide Griffo, pâle, effrayé par l'effet de ses paroles, regarda tout autour de lui.

— Qu'est-ce que j'ai dit ? demanda-t-il dans un filet de voix.

Dès que Fazio s'arrêta devant le 44, via Cavour, Davide Griffo ouvrit la portière et se rua sur la porte.

— Par où on commence ? demanda Fazio tout en fermant la voiture.

— Par les petits vieux disparus. Le mort est mort et il peut attendre.

Sur le seuil, ils se heurtèrent à Griffo qui sortait de nouveau à la vitesse d'une balle lancée.

— La concierge m'a dit que cette nuit il y a eu un meurtre ! Quelqu'un qui habitait dans cette maison !

Ce n'est qu'alors qu'il aperçut la silhouette du corps de Nenè Sanfilippo dessinée en blanc sur le trottoir. Il commença à trembler violemment.

— Calmez-vous, dit le commissaire en lui mettant une main sur l'épaule.

— Non… c'est que je crains…

— Monsieur Griffo, vous pensez que vos parents pourraient être mêlés à une affaire de meurtre ?

— Vous plaisantez ? Mes parents sont…

— Et alors ? Oubliez que ce matin on a tué quelqu'un là devant. Allons plutôt voir.

Mme Ciccina Recupero, concierge, tournait dans les deux mètres sur deux de la loge comme certains ours qui sortent fous de leur cage et se mettent à se dandiner d'une patte sur l'autre. Elle pouvait se le permettre car c'était une femme tout en os et le peu d'espace qu'elle avait à sa disposition lui suffisait, et largement, pour se caser.

— Mon Dieu mon Dieu mon Dieu ! sainte petite Madone ! Qu'arriva-t-il dans cette maison ? Qu'arriva-t-il ? Quel mauvais sort on lui a jeté ? Il faut tout de suite appeler le curé avec l'eau bénite !

Montalbano la saisit par un bras, ou plutôt par l'os du bras, et la força à s'asseoir.

— Assez de simagrées. Arrêtez de faire des signes

de croix et répondez à mes questions. Depuis quand ne voyez-vous plus les Griffo ?

— Depuis le matin de samedi dernier, de quand la dame rentra des courses.

— Nous sommes mardi et vous ne vous êtes pas inquiétée ?

La concierge se rebiffa.

— Et pourquoi j'aurais dû ? Eux ils étaient causants avec pirsonne ! Superbes, ils étaient ! Et je m'in fous si le fils m'entend ! Ils sortaient, ils rentraient avec les courses, ils s'enfermaient chez eux et de trois jours pirsonne les voyait ! Ils avaient mon numaro de téléphone : si ils avaient besoin, ils appelaient !

— Et c'est arrivé ?

— Qu'est-ce qui arriva ?

— Qu'ils vous appellent.

— Oui, quelquefois ça arriva. Quand c'est que M. Fofò, le mari, il fut mal, il m'appela pour lui donner assistance pendant qu'elle allait à la pharmacie. Une autre fois quand se rompit le tuyau de l'alave-linge et l'eau s'échappa. Une troisième fois quand c'est...

— Ça suffit, merci. Vous avez dit que vous n'aviez pas les clés ?

— C'est pas que j'ai dit ça, c'est que je l'ai pas ! La clé, Mme Griffo me la laissa l'an dernier, en été, quand c'est qu'ils allèrent trouver leur fils à Messine. Je devais leur arroser les plantes qu'ils ont sur le balcon. Puis je la leur rendis sans qu'on me fasse un merci, rin, ni oui ni merde, comme si j'étais leur servante, la domestique ! Et vous venez me raconter que je dois m'inquiéter ? Si ça se trouve que je grimpais au quatrième étage et je leur demandais s'ils avaient besoin, eux ils m'envoyaient paître !

— On monte ? demanda le commissaire à Davide Griffo qui s'était appuyé au mur.

Il donnait l'impression que ses jambes ne le portaient plus.

Ils prirent l'ascenseur, grimpèrent au quatrième. Davide jaillit dehors aussitôt. Fazio approcha ses lèvres de l'oreille du commissaire.

— Il y a quatre appartements par étage. Nenè Sanfilippo habitait juste en dessous de celui des Griffo, dit-il en indiquant du menton Davide qui, collé de tout son corps à la porte de l'appartement 17, pressait absurdement le bouton de sonnette.

— Mettez-vous sur le côté, s'il vous plaît.

Davide sembla ne pas l'entendre, il continua d'appuyer sur la sonnette. On l'entendait résonner en vain, lointaine. Fazio s'avança, il prit l'homme par les épaules et l'écarta. Le commissaire tira de sa poche un gros porte-clés auquel pendaient une dizaine de crochets de formes diverses. Des rossignols, cadeau d'un cambrioleur dont il était l'ami. Il s'affaira sur la serrure pendant cinq bonnes minutes : il n'y avait pas seulement le pêne, mais bien quatre tours de clé.

La porte s'ouvrit. Montalbano et Fazio avaient les narines ouvertes au maximum pour sentir l'odeur qui venait de l'intérieur. Fazio tenait fermement par un bras Davide qui voulait se précipiter. La mort, au bout de deux jours, commence à puer. Rin, l'appartement sentait juste le renfermé. Fazio lâcha son étreinte et Davide bondit, se mettant aussitôt à appeler :

— Papa ! Maman !

Il régnait un ordre parfait. Les fenêtres fermées, le lit refait, la cuisine rangée, l'évier sans vaisselle sale. Dans le frigo, du fromage, du jambon en sachet, des olives, une bouteille de blanc à moitié pleine. Dans le congélateur, quatre tranches de viande, deux rougets. S'ils étaient partis, ils avaient sûrement l'intention de revenir dans peu de temps.

— Ils avaient des parents ?

La tête entre les mains, Davide s'était assis sur une chaise de la cuisine.

— Papa non. Maman oui. Un frère à Comiso et une sœur à Trapani qui est morte.

— Il ne se peut pas qu'ils soient allés…

— Non, *dottore*, c'est exclu. Ils n'ont pas de nouvelles de mes parents depuis un mois. Ils ne se voyaient pas beaucoup.

— Donc vous n'avez absolument aucune idée d'où ils ont pu aller ?

— Non. Si j'en avais eu, j'aurais essayé d'aller les chercher.

— La dernière fois que vous avez parlé avec eux, c'était le jeudi de la semaine dernière, n'est-ce pas ?

— Oui.

— Ils ne vous ont rien dit qui puisse…

— Rien de rien.

— De quoi avez-vous parlé ?

— Des trucs habituels, la santé, les petits-enfants… J'ai deux fils, Alfonso comme papa et Giovanni, l'un a sept ans, l'autre quatre. Ils leur sont très attachés. Chaque fois que nous venions les voir à Vigàta, ils les couvraient de cadeaux.

Il ne faisait rien pour arrêter ses larmes.

Fazio, qui avait fait le tour de l'appartement, revint en écartant les bras.

— Monsieur Griffo, il est inutile que nous restions ici. J'espère vous faire savoir quelque chose très vite.

— Commissaire, j'ai pris quelques jours de congé auprès de la mairie. Je peux rester à Vigàta au moins jusqu'à demain soir.

— Pour moi, vous pouvez rester le temps que vous voulez.

— Non, je voulais dire autre chose : je peux dormir ici cette nuit ?

Montalbano y réfléchit un instant. Dans la chambre à manger qui était aussi le salon, il y avait un petit bureau avec des papiers dessus. Il voulait les regarder tranquillement.

— Non, dormir dans cet appartement vous ne pouvez pas. Je regrette.

— Mais si par hasard quelqu'un téléphone…

— Qui ? Vos parents ? Et quelle raison auraient vos parents de téléphoner chez eux sachant qu'il n'y a personne ?

— Non, je voulais dire : si c'est quelqu'un qui a des nouvelles qui téléphone…

— C'est vrai. Je fais immédiatement mettre le téléphone sous surveillance. Fazio, tu t'en occupes. Monsieur Griffo, je voudrais une photo de vos parents.

— J'en ai dans ma poche, commissaire. Je les ai faites quand ils sont venus à Messine. Ils s'appellent Alfonso et Margherita.

Il se mit à sangloter tout en tendant la photo à Montalbano.

— Cinq fois quatre : vingt et vingt moins deux, ça fait dix-huit, dit Montalbano sur le palier après que Griffo fut parti, plus troublé que convaincu.

— Vous jouez à quoi ? demanda Fazio.

— Si deux et deux font quatre, cet immeuble étant de cinq étages, ça veut dire qu'il y a vingt appartements. Mais en fait, il y en a dix-huit, en mettant à part celui des Griffo et celui de Nenè Sanfilippo. Autrement dit, il faut qu'on interroge le coquet total de dix-huit familles. Et qu'à chaque famille on pose deux questions. Que savez-vous des Griffo ? Que savez-vous de Nenè Sanfilippo ?

Si ce grand cornard de Mimì était là pour nous donner un coup de main…

Quand on parle du loup… A ce moment-là, le portable de Fazio sonna.

— C'est le *dottor* Augello. Il demande comme ça si on a besoin de lui.

Montalbano rougit de colère.

— Qu'il vienne immédiatement. D'ici cinq minutes il doit être là, quitte à se rompre le cou.

Fazio transmit.

— En attendant qu'il arrive, proposa le commissaire, allons prendre un café.

Lorsqu'ils revinrent via Cavour, Mimì était déjà en train de les attendre. Fazio s'éloigna discrètement.

— Mimì, attaqua Montalbano, moi vraiment les bras m'en tombent, avec toi. Et les mots me manquent. On peut savoir ce qui te passe par la tête ? Tu le sais ou tu le sais pas que…

— Je sais, l'interrompit Augello.

— Qu'est-ce que tu sais, putain ?

— Ce que je dois savoir. Que je déconne. Le fait est que je me sens bizarre et paumé.

La colère du commissaire tomba. Mimì se tenait devant lui avec un air qu'il ne lui avait jamais vu. Pas l'habituel je-m'en-foutisme. Au contraire. Un je-ne-sais-quoi de résigné, d'humble.

— Mimì, je peux savoir ce qui t'est arrivé ?

— Après, je te le dis, Salvo.

Il était sur le point de lui poser une main consolatrice sur l'épaule lorsqu'un soupçon inopiné l'arrêta. Et si ce fils de radasse de Mimì était en train de se conduire comme lui-même l'avait fait avec Bonetti-Alderighi, feignant une attitude servile alors qu'en réalité il se foutait royalement de sa gueule ? Augello était un sacré

34

comédien, capable de ça et de bien d'autres. Dans le doute, il s'abstint du geste affectueux. Il le mit au courant de la disparition des Griffo.

— Toi, tu fais les locataires du premier et du deuxième étage, Fazio ceux du cinquième et du rez-de-chaussée, moi je m'occupe du troisième et du quatrième.

Troisième étage, appartement 12. Mme Burgio Concetta veuve Lo Mascolo, la cinquantaine, se lança dans un monologue du plus bel effet.

— Ne me parlez pas, commissaire, de ce Nenè Sanfilippo ! Ne m'en parlez pas ! On l'a tué, le pôvret, et paix à son âme ! Il me faisait me damner, ça oui ! De jour, chez lui, il y était jamais. Mais la nuit, si. Et alors, pour moi, acomminçait l'infer ! Une nuit oui et une non ! L'infer ! Vous voyez, monsieur le commissaire, ma chambre à coucher est mur à mur avec la chambre à coucher de Sanfilippo. Les murs de cette maison, en papier de soie ils sont ! On entend tout de tout, la moindre chose, ça s'entend ! Et alors, après qu'ils avaient mis la musique que par moments les oreilles m'explosaient, ils l'éteignaient et démarrait une autre musique ! Une symphonie ! Tchankiti tchankiti tchankiti tchan ! Le lit qui tapait contre le mur et qui faisait de la batterie ! Et après la radasse de service qui faisait ah ah ah ah ! Et de nouveau tchankiti tchankiti tchankiti tchan ! Et moi j'accommençais à avoir des pinsées sales. Je me récitais un chapelet. Deux chapelets. Trois chapelets. Rin ! Les pinsées sales restaient. Je suis encore jeune, commissaire ! Me damner il me faisait ! Oh que non, des Griffo, j'en sais rin. Ils étaient pas causants. Et alors, si tu me causes pas, pourquoi moi je devrais te causer ? C'est logique, non ?

35

Troisième étage, appartement 14. Famille Crucillà. Epoux : Crucillà Stefano, retraité, ex-comptable à la conserverie de poissons. Femme : De Carlo Antonietta. Fils aîné : Calogero, ingénieur des mines, besogne en Bolivie. Fille aînée : Samanta sans *h* entre le *t* et le *a*, professeur de mathématiques, célibataire, vit avec ses parents. Samanta parla pour tous.

— Ecoutez, monsieur le commissaire, à propos des Griffo, pour vous dire combien ils étaient distants. Une fois, je rencontrai Mme Griffo qui entrait par la porte cochère avec son chariot croulant de courses et deux sacs en plastique à la main. Comme pour arriver à l'ascenseur, il faut monter trois marches, je lui demandai si je pouvais l'aider. Elle me répondit un « non » grossier. Et le mari n'était pas mieux.

» Nenè Sanfilippo ? Un beau jeune homme, plein de vie, sympathique. Ce qu'il faisait ? Ce que font les jeunes de son âge quand ils sont libres.

Et tout en disant cela, elle lança à ses parents un coup d'œil accompagné d'un soupir. Non, elle, elle n'était pas libre, hélas. Sinon elle aurait été capable d'en remontrer à feu Nenè Sanfilippo.

Troisième étage, appartement 15. Dr Ernesto Assunto, dentiste.

— Commissaire, ici c'est juste mon cabinet. Moi je vis à Montelusa, ici je n'y viens que la journée. Tout ce que je peux vous dire, c'est qu'une fois je rencontrai M. Griffo avec la joue gauche déformée par un abcès. Je lui demandai s'il avait un dentiste, il me répondit que non. Alors je lui suggérai de faire un saut ici, au cabinet. A la place j'en reçus une réponse résolument négative. Quant à Sanfilippo, vous voulez savoir une chose ? Je ne l'ai jamais croisé, je ne sais même pas comment il était fait.

Il commença à grimper la volée de marches qui menait à l'étage au-dessus et il lui vint à l'idée de regarder sa montre. Il était une heure et demie et à la vue de l'heure, par un réflexe conditionné, il fut pris d'une dalle terrible. L'ascenseur lui passa à côté, en montant. Il décida héroïquement d'endurer la pétit qu'il se ressentait et de poursuivre ses questions, à cette heure-ci il était plus probable de trouver les locataires chez eux. Devant l'appartement 16, se tenait un homme gras et chauve, un cabas noir et déformé à la main ; de l'autre, il tentait de glisser la clé dans la serrure. Il vit le commissaire s'arrêter derrière lui.

— Vous me cherchez ?

— Oui, monsieur…

— Mistretta. Et vous, qui êtes-vous ?

— Le commissaire Montalbano je suis.

— Et que voulez-vous ?

— Vous poser quelques questions sur le jeune homme abattu cette nuit…

— Oui, je sais. La concierge m'a tout raconté quand je suis sorti pour aller au bureau. Je besogne à la cimenterie.

— … et sur les Griffo.

— Pourquoi, qu'est-ce qu'ils ont fait, les Griffo ?

— Ils ont disparu.

M. Mistretta ouvrit la porte et se mit de côté.

— Entrez.

Montalbano fit un pas et se retrouva dans un appartement d'un désordre absolu. Deux chaussettes dépareillées et sales traînaient sur le *tanger*[1] dès l'entrée. Il fut introduit dans une pièce qui devait avoir été un salon. Elle était jonchée de journaux, assiettes sales, verres

1. Mot sicilien d'origine française : étagère. *(N.d.T.)*

entartrés, linge lavé ou pas, cendriers d'où débordaient cendres et mégots.

— Il y a un peu de désordre, admit M. Mistretta. Ma femme est depuis deux mois à Caltanissetta, sa mère est malade.

Il tira du cabas noir une boîte de thon, un citron et une miche de pain. Il ouvrit la boîte et la versa dans la première assiette qui lui tomba sous la main. Ecartant une paire de caleçons, il attrapa une fourchette et un couteau. Il coupa le citron, le pressa sur le thon.

— Si vous en voulez, je vous en prie ! Ecoutez, commissaire, je ne veux pas vous faire perdre de temps. J'avais eu l'intention de vous garder ici un bon moment à vous raconter des conneries juste pour avoir un peu de compagnie. Mais après j'ai pinsé que ce n'était pas juste. Les Griffo, j'ai dû les croiser quelquefois. Mais on ne se saluait même pas. Le jeune homme assassiné, je ne l'ai jamais vu.

— Merci. Bonne journée, dit le commissaire en se levant.

Même dans une telle crasse, voir quelqu'un manger lui avait fait redoubler la pétit.

Quatrième étage. A côté de la porte de l'appartement, il y avait une carte sous le bouton de sonnette : Guido et Gina De Dominicis. Il sonna.

— Qui c'est ? répondit une voix de minot.

Que répondre à un gamin ?

— Un ami de papa, je suis.

La porte s'ouvrit et devant le commissaire apparut un minot d'une huitaine d'années, à l'air éveillé.

— Papa est là ? Ou maman ?

— Non, mais bientôt ils reviennent.

— Comment tu t'appelles ?

— Pasqualino. Et toi ?

— Salvo.

Et à ce moment-là Montalbano fut certain que cette odeur qui venait de l'appartement était vraiment celle du cramé.

— Qu'est-ce que c'est que cette odeur ?

— Rin. J'ai mis le feu à la maison.

Le commissaire bondit, esquivant Pasqualino. De la fumée noire sortait par une porte. C'était la chambre à coucher, un quart du grand lit avait pris feu. Il enleva sa veste, vit une couverture en laine pliée sur une chaise, il la saisit, l'ouvrit, la jeta sur les flammes en y donnant des grandes tapes. Une langue de feu sournoise lui mangea la moitié du poignet.

— Si tu m'éteins le feu, moi j'en fais ailleurs, dit Pasqualino en brandissant d'un air menaçant une boîte d'allumettes de cuisine.

Mais il était vraiment plein de vie, ce petit drôle ! Que faire ? Le désarmer ou continuer à éteindre l'incendie ? Il opta pour l'intervention de pompier, continuant à se brûler. Mais le cri suraigu d'une femme le paralysa.

— Guidooooooooooooo !

Une jeune blonde, les yeux exorbités, était visiblement sur le point de tomber dans les pommes. Montalbano n'eut pas le temps de rouvrir la bouche qu'à côté de la femme se matérialisa un jeune binoclard à la puissante carrure, une espèce de Clark Kent, celui qui se transforme ensuite en Superman. Sans dire un mot, Superman, d'un geste d'une extrême élégance, écarta sa veste. Et le commissaire se vit braqué par un pistolet qui lui parut un canon.

— Les mains en l'air.

Montalbano obéit.

— C'est un pyromane ! C'est un pyromane ! balbutiait

en pleurant la jeune femme en serrant fort son enfançon, son petit ange.

— Tu sais quoi, maman ? Il m'a dit qu'il voulait mettre le feu à toute la maison !

Pour tirer au clair toute l'histoire, il leur fallut une bonne demi-heure. Montalbano apprit que l'homme était caissier dans une banque et c'est la raison pour laquelle il était armé. Que Mme Gina était rentrée tard parce qu'elle était allée consulter chez le médecin.

— Pasqualino va avoir un petit frère, avoua la jeune femme en baissant pudiquement les yeux.

Sur fond sonore des hurlements et des pleurs du minot qui s'était fait sonner les cloches et enfermer dans un cagibi noir, Montalbano apprit que les Griffo, même quand ils étaient chez eux, c'était comme si ils n'y étaient pas.

— Même pas un bruit de toux, est-ce que je sais, un truc qui tombe par terre, un mot dit sur un ton un peu plus haut qu'un autre ! Rien !

Quant à Nenè Sanfilippo, les époux De Dominicis ignoraient même que l'homme abattu habitait leur immeuble.

Trois

La dernière station de son chemin de croix était constituée par l'appartement 19 du quatrième étage. Me Leone Guarnotta.

Par-dessous la porte, filtrait un relent de bolognaise qui fit saliver Montalbano.

— Vous êtes le commissaire Montaperto, dit la dondon de cinquante ans qui lui ouvrit la porte.

— Montalbano.

— Je me trompe toujours avec les noms, mais y suffit que je voie un visage une seule fois à la télé et je me l'oublie plus !

— Qui c'est ? demanda une voix masculine de l'intérieur.

— Le commissaire c'est, Leò. Rentrez, rentrez.

Alors que Montalbano entrait, apparut un homme dans la soixantaine, long et sec, une serviette glissée dans son col.

— Guarnotta, enchanté. Entrez donc. Nous étions sur le point de manger. Venez au salon.

— Comment ça au salon ! intervint la dondon. Si on perd du temps à discuter, les pâtes, elles vont coller. Vous mangeâtes, commissaire ?

41

— A dire vrai, pas encore, dit Montalbano, sentant son cœur s'ouvrir à l'espérance.

— Alors il y a pas de problème, conclut la dame. Assoyez-vous avec nous et mangez une assiette de pâtes. Comme ça on parlera tous mieux.

Les pâtes avaient été égouttées au bon moment (« savoir quand c'est qu'on égoutte, ça c'est de l'art, y a pas de doute », avait un jour déclaré sa bonne Adelina), la viande avec le jus était tendre et savoureuse.

Mais, à part s'être rempli la panse, le commissaire, en ce qui concernait son enquête, fit encore un pertuis dans l'eau : autrement dit, chou blanc.

Lorsque, vers quatre heures de l'après-midi, il se retrouva au bureau avec Mimì Augello et Fazio, Montalbano ne put que constater qu'en définitive, les pertuis dans l'eau étaient au nombre de trois.

— A part qu'avec vous, deux et deux font vraiment pas quatre, dit Fazio, parce que les appartements dans cet immeuble, il y en a vingt-trois…

— Comment vingt-trois ? dit Montalbano, largué, vu qu'avec les chiffres il était vraiment nul.

— *Dottore*, il y en a trois au rez-de-chaussée, que des bureaux. Ils ne connaissent ni les Griffo ni Sanfilippo.

Conclusion, les Griffo avaient vécu des années dans cet immeuble, mais c'est comme s'ils avaient été transparents. De Sanfilippo, ensuite, inutile d'en parler, il y avait des locataires qui n'avaient jamais entendu son nom.

— Vous deux, dit Montalbano, avant que la nouvelle de leur disparition ne soit officielle, cherchez à en savoir plus en ville, ragots, médisances, suppositions, des trucs comme ça.

— Parce qu'après avoir appris la nouvelle de leur

disparition, les réponses des personnes peuvent changer ? demanda Augello.

— Oui, elles changent. Une chose qui t'a paru normale, après un fait anormal, elle prend une lumière différente. Tant que vous y êtes, posez aussi des questions sur Sanfilippo.

Fazio et Augello sortirent du bureau, l'air dubitatif.

Montalbano prit les clés de Sanfilippo que Fazio lui avait laissées sur la table, il les mit dans sa poche et alla appeler Catarella qui, depuis une semaine, était occupé à résoudre une grille de mots croisés pour débutants.

— Catarè, viens avec moi. Je te confie une mission importante.

Sous le coup de l'émotion, Catarella ne parvint pas à ouvrir la bouche, pas même lorsqu'il se trouva à l'intérieur de l'appartement du jeune homme assassiné.

— Tu le vois, Catarè, cet ordinateur ?

— Oh que oui. Beau il est.

— Eh ben, besogne. Je veux savoir tout ce qu'il contient. Et puis mets-y toutes les disquettes et les… comment ça s'appelle ?

— Gédéromes, *dottori*.

— Tu les regardes tous. Et à la fin, tu me fais un rapport.

— Même des vidéocassettes il y a.

— Les cassettes, tu les laisses tomber.

Il partit en voiture et se dirigea vers Montelusa. Son ami journaliste Nicolò Zito de « Retelibera » était sur le point de passer sur les ondes. Montalbano lui tendit la photo.

— Ils s'appellent Griffo, Alfonso et Margherita. Tu dois juste dire que leur fils Davide est inquiet parce qu'il n'a pas de nouvelles. Parles-en au journal de ce soir.

43

Zito, qui était une personne intelligente et un fin journaliste, regarda la photo et lui retourna la question à laquelle il s'attendait déjà.

— Pourquoi tu te préoccupes de la disparition de ces deux-là ?

— Ils me font de la peine.

— Qu'ils te fassent de la peine, je le crois. Qu'ils te fassent que de la peine, je n'y crois pas. Il n'y a pas un rapport par hasard ?

— Avec quoi ?

— Avec le jeune qu'on a assassiné à Vigàta, Sanfilippo.

— Ils habitaient le même immeuble.

Nicolò bondit littéralement de sa chaise.

— Mais ça c'est une information que…

— … que tu ne vas pas donner. Peut-être qu'il y a un rapport, peut-être que non. Tu fais ce que je te dis et les premières nouvelles consistantes seront pour toi.

Assis sous la véranda, il s'était dégusté la *pappanozza* dont il avait envie depuis longtemps. Plat du pauvre, pommes de terre et oignons mis à bouillir longuement, réduits en purée avec le côté convexe de la fourchette, abondamment assaisonnés d'huile, de vinaigre fort, de poivre noir du moulin, sel. A manger en utilisant de préférence une fourchette en fer-blanc (il en avait une paire qu'il gardait jalousement), en se brûlant la langue et le palais, et par conséquent en pestant à chaque bouchée.

Au journal de vingt et une heures, Nicolò fit son travail, il montra la photo des Griffo et dit que leur fils était inquiet.

Il éteignit la télévision et décida de commencer à lire le dernier livre de Vázquez Montalbán, qui se passait à Buenos Aires et avait pour héros Pepe Carvalho. Il lut les trois premières lignes et le téléphone sonna. C'était Mimì.

— Je te dérange, Salvo ?

— Pas du tout.

— Tu as des trucs à faire ?

— Non. Mais pourquoi tu me le demandes ?

— Je voudrais te parler. Je viens chez toi.

Alors l'attitude de Mimì quand il l'avait engueulé le matin était sincère, il ne s'agissait pas d'une comédie. Que pouvait-il lui être arrivé, à ce fichu garçon ? En fait de femmes, Mimì avait le palais facile et appartenait au courant de pensée masculin selon lequel toute femme négligée est une aventure manquée. Peut-être qu'il s'était fourvoyé avec un mari jaloux. Comme la fois où il avait été surpris par M. Perez alors qu'il embrassait les nichons nus de la légitime de celui-ci. Ça avait mal tourné, avec plainte dans les règles au questeur. Il s'en était tiré parce que le questeur, l'ancien, avait réussi à arranger les choses. Si, au lieu de l'ancien, ç'avait été le nouveau, Bonetti-Alderighi, adieu la carrière du commissaire adjoint Augello.

On sonna à la porte. Ça ne pouvait pas être Mimì, il venait juste de téléphoner. Au contraire, c'était bien lui.

— Tu as volé de Vigàta à Marinella ?

— Je n'étais pas à Vigàta.

— Et où étais-tu ?

— Tout près. Je t'ai appelé avec le portable. Ça fait une heure que je tournais.

Aïe. Mimì avait viré et tourné dans les environs avant de se résoudre à passer son coup de fil. Signe que la chose était plus sérieuse qu'il ne l'avait supposé.

Il lui vint, tout à coup, une pinsée terrible : que Mimì soit tombé malade à force de fréquenter des radasses ?

— La santé, ça va ?

Mimì le regarda, sidéré.

— La santé ? Oui.

Bon Dieu. Si ce qu'il se trimbalait ne concernait pas le corps, ça veut dire que ça regardait le domaine opposé. L'âme ? L'esprit ? Vous voulez galéjer ? Qu'est-ce qu'il avait à voir, lui, avec ces matières ? Tandis qu'ils se dirigeaient vers la véranda, Mimì dit :

— Tu me ferais une faveur ? Tu m'apporterais deux doigts de whisky sans glace ?

Il voulait se donner du courage, c'est ça ! Montalbano commença à se sentir extrêmement nirveux. Il lui posa la bouteille et le verre devant, attendit qu'il se soit versé une dose substantielle et alors il parla.

— Mimì, tu me casses les burnes. Dis-moi tout de suite ce qui t'arrive, merde.

Augello engloutit son verre d'une seule gorgée et, regardant la mer, il dit d'une toute petite voix :

— J'ai décidé de me marier.

Montalbano réagit d'instinct, en proie à une fureur irrépressible. De la main gauche, il balaya de la table les verres et la bouteille, tandis qu'il se servait de la droite pour balancer une puissante baffe sur la joue de Mimì qui entre-temps s'était tourné. Le commissaire réussit à se contrôler, il sentit qu'il avait passé les bornes. Il s'approcha d'Augello, les bras tendus. Mimì parvint à se coller encore plus au mur.

— Dans ton propre intérêt, Salvo, ne me touche pas.

Alors elle était sûrement infectieuse, la maladie de Mimì.

— Quoi que ce soit que tu aies, Mimì, c'est toujours mieux que la mort.

La bouche de Mimì tomba, littéralement.

— La mort ? Et qui a parlé de mort ?

— Toi. Toi à l'instant tu m'as dit : « Je veux me noyer. » Ou tu le nies ?

Mimì ne répondit pas, il commença à glisser le long

du mur. A présent il se tenait les deux mains sur le ventre comme s'il était en proie à une douleur insupportable. Des larmes lui sortirent des yeux et commencèrent à couler le long de son nez. Le commissaire se sentit pris de panique. Que faire ? Appeler un docteur ? Qui pouvait-il réveiller à cette heure-là ? Entre-temps, Mimì, d'un coup, s'était relevé, il avait d'un bond sauté la balustrade, récupéré sur le sable la bouteille demeurée intacte et il se la sifflait à la régalade. Montalbano était tétanisé. Puis il sursauta, en entendant qu'Augello s'était mis à crier. Non, il ne criait pas. Il riait. Et qu'est-ce qu'il avait à rigoler, putain ? Finalement Mimì réussit à articuler.

— J'ai dit me marier, Salvo, pas me noyer !

Du coup, le commissaire se sentit à la fois soulagé et furieux. Il entra dans la maison, alla à la salle de bains, se mit la tête sous l'eau froide et y resta un bon moment.

Lorsqu'il revint dans la véranda, Augello s'était rassis. Montalbano lui prit la bouteille des mains, la porta à sa bouche et la finit.

— Je vais en chercher une autre.

Il revint avec une bouteille toute neuve.

— Tu sais, Salvo, quand tu as réagi de cette façon, tu m'as fichu une peur bleue. J'ai cru que tu étais pédé et que tu étais amoureux de moi !

— Parle-moi de la jeune fille, le coupa Montalbano.

Elle s'appelait Rachele Zummo. Il l'avait rencontrée à Fela, chez des amis. Elle était venue voir ses parents. Mais elle besognait à Pavie.

— Et qu'est-ce qu'elle fait à Pavie ?

— Tu veux rigoler un peu, Salvo ? Elle est inspectrice de police !

Ils rirent. Et ils continuèrent à rire pendant encore deux heures en finissant la bouteille.

— Allô Livia ? Salvo je suis, tu dormais ?

— Bien sûr que je dormais. Qu'est-ce qui se passe ?

— Rien. Je voulais…

— Comment rien ? Mais tu sais l'heure qu'il est ? Deux heures !

— Ah oui ? Excuse-moi. Je ne pensais pas qu'il était si tard… si tôt. Ben, non, rien, c'était une ânerie, crois-moi.

— Et même si c'est une ânerie, tu me la dis.

— Mimì Augello m'a dit qu'il voulait se marier.

— En voilà, une nouvelle ! Il me l'avait déjà confié il y a trois mois et m'avait priée de ne rien t'en dire.

Pause très longue.

— Salvo, tu es encore là ?

— Oui, je suis là. Et donc ce M. Augello et toi vous vous faites des confidences et vous me tenez à l'écart de tout ?

— Allez, Salvo !

— Et non, Livia, permets-moi d'être en colère !

— Et toi permets-le-moi aussi !

— Pourquoi ?

— Parce que tu appelles ânerie un mariage. Connard ! Tu devrais prendre exemple sur Mimì, plutôt. Bonne nuit !

Il se réveilla vers six heures du matin, la bouche pâteuse, sa tête lui faisait un peu mal. Il essaya de retrouver le sommeil après s'être bu une demi-bouteille d'eau glacée. Rien.

Que faire ? Le problème fut résolu par le téléphone qui se mit à sonner.

A cette heure-ci ?! Peut-être que c'était cet imbécile de Mimì qui voulait lui dire que lui était passée l'envie de se marier. Il se donna une tape sur le front. Voilà comment était né le quiproquo la veille ! Augello avait dit « j'ai décidé de me marier » et lui il avait compris « j'ai décidé de me noyer ». Bien sûr ! Qui est-ce qui se marie en Sicile ? En Sicile, on s'épouse. Les femmes, en disant « je veux m'épouser » veulent dire « je veux prendre un époux » ; les hommes, en disant la même chose, veulent dire « je veux devenir un époux ». Il souleva le récepteur.

— Tu as changé d'idée ?

— Oh que non, *dottore*, j'ai pas changé d'idée, difficile que j'en change. De quelle idée vous parlez ?

— Excuse-moi, Fazio, je croyais que c'était quelqu'un d'autre qui me téléphonait. Qu'est-ce qu'il y a ?

— Excusez-moi si je vous réveille à cette heure-ci, mais…

— Mais ?

— On n'arrive pas à trouver Catarella. Il a disparu depuis hier après déjeuner, il est parti du bureau sans dire où il allait et on l'a plus revu. On a même demandé dans les hôpitaux de Montelusa…

Fazio continuait à parler mais le commissaire ne l'écoutait plus. Catarella ! Il l'avait complètement oublié !

— Excuse-moi, Fazio, excusez-moi tous ! Il est allé faire un truc pour moi et je ne vous ai pas prévenus. Ne vous inquiétez pas.

Il entendit distinctement le soupir de soulagement de Fazio.

Il mit une vingtaine de minutes pour prendre sa douche, se raser et s'habiller. Il se sentait tout patraque. Lorsqu'il arriva au 44, via Cavour, la concierge était en train de balayer le bout de rue devant la porte cochère. Elle était tellement sèche qu'il n'y avait pratiquement pas de différence entre elle et le manche du balai. A qui

ressemblait-elle ? Ah, oui. A Olive, la fiancée de Popeye.
Il prit l'ascenseur, monta au troisième, ouvrit avec le
rossignol la porte de l'appartement de Nenè Sanfilippo.
A l'intérieur, la lumière était allumée. Catarella était
assis devant l'ordinateur, en bras de chemise. Dès qu'il
vit entrer son supérieur, il se leva brusquement, remit sa
veste et ajusta le nœud de sa cravate. Sa barbe était
longue, ses yeux rougis.

— A vos ordres, *dottori*.

— Tu es encore là ?

— J'ai presque fini, *dottori*. J'ai besoin encore de
deux petites heures.

— Tu ne trouvas rien ?

— Excusez-moi, *dottori*, vosseigneurie veut que je
parle en termes tékiniques ou en termes simples ?

— Ultrasimples, Catarè.

— Alors je vous dis que, dans cet ordinateur, y a pas
un putain de truc.

— Dans quel sens ?

— Dans le sens de ce que je viens de dire, *dottori*. Il
est pas connecté à Internet. Là-dedans, il garde un
machin qu'il est en train d'écrire…

— Quel machin ?

— A moi, ça me paraît un livre roman, *dottori*.

— Et puis ?

— Et puis la copie de toutes les littres qu'il a écrites
et qu'il a areçues. Qu'elles sont beaucoup.

— Des affaires ?

— Vous parlez d'affaires, *dottori*. Des littres de poil
ce sont.

— Je n'ai pas compris.

Il rougit, Catarella.

— Ce sont des littres comme on peut dire d'amour,
mais…

— Ça va, j'ai compris. Et sur les disquettes ?

50

— Des choses vilaines, *dottori*. Des hommes avec des femmes, des hommes avec des hommes, des femmes avec des femmes, des femmes avec des arnimals…

Le visage de Catarella semblait devoir prendre feu d'un moment à l'autre.

— Ça va, Catarella. Imprime-les-moi.

— Toutes ? Les femmes avec des hommes, les hommes avec des hommes…

Montalbano bloqua la litanie.

— Je voulais dire le livre roman et les littres. Mais maintenant, faisons une chose. Tu descends avec moi au bar, tu te prends un café au lait et un croissant, et après je te ramène ici.

A peine fut-il au bureau que s'aprésenta Imbrò, qui avait été mis au standard.

— *Dottore*, de « Retelibera », on m'a téléphoné une liste de noms et de numéros de téléphone de personnes qui se sont mises en contact après avoir vu la photo des Griffo. Je les ai tous inscrits là.

Une quinzaine de noms. A vue de nez, les numéros de téléphone étaient de Vigàta. Donc les Griffo n'étaient pas aussi évanescents que ce qu'il avait semblé dans un premier temps. Fazio entra.

— Madone, quelle trouille on s'est pris quand on ne trouvait plus Catarella ! On ne savait pas qu'il avait été envoyé en mission secrète. Vous savez le nom d'oiseau que lui a donné Galluzzo ? L'agent 000.

— Faites pas tant les malins. Tu as du nouveau ?

— Je suis allé trouver la mère de Sanfilippo. La pôvre femme ne sait rien de rien de ce que faisait son fils. Elle m'a raconté qu'à dix-huit ans, comme il avait la passion des ordinateurs, il avait trouvé un bon emploi à Montelusa. Il gagnait pas mal et avec la retraite de sa mère, ils s'en sortaient bien. Et puis Nenè, tout d'un coup, a quitté son emploi, il a changé de caractère et il est parti vivre tout seul. Il avait beaucoup d'argent, mais sa mère, il la laissait se trimbaler avec des souliers bousillés.

— Dis-moi par curiosité, Fazio. Sur lui, on a trouvé de l'argent ?

— Et comment ! Trois millions en liquide et un chèque de deux millions.

— Bon, comme ça Mme Sanfilippo n'aura pas à s'endetter pour l'enterrement. De qui était le chèque ?

— De la société Manzo de Montelusa.

— Vérifie pourquoi ils le lui ont donné.

— D'accord. Pour ce qui est des Griffo…

— Regarde ça, l'interrompit le commissaire. C'est une liste des personnes qui savent quelque chose sur les Griffo.

Le premier nom de la liste était Cusumano Saverio.

— Bonjour, monsieur Cusumano. Le commissaire Montalbano je suis.

— Et qu'est-ce que vous me voulez ?

— Ce n'est pas vous qui avez téléphoné à la télévision quand vous avez vu la photo de M. et Mme Griffo ?

— Que oui, moi ce fut. Mais vous, qu'est-ce que vous avez à voir ?

— C'est nous qui nous occupons de ce cas.

— Et d'où vous sortez ça ? Moi c'est seulement avec le fils Davide, que je parle. Bien le bonjour.

« Joli préambule bien débuté », comme disait Matteo Maria Boiardo. Le deuxième nom était Belluzzo Gaspare.

— Allô, monsieur Belluzzo ? Le commissaire Montalbano je suis. Vous avez téléphoné à « Retelibera » au sujet des Griffo.

52

— C'est vrai. Dimanche dernier, ma femme et moi, nous les avons vus, ils étaient avec nous dans l'autocar.

— Et où alliez-vous ?

— Au sanctuaire de la Madone de Tindari.

« Tindari, clément je te sais »... les vers de Quasimodo lui résonnèrent dans la tête.

— Et qu'alliez-vous y faire ?

— Une excursion. Organisée par l'agence Malaspina d'ici. Ma femme et moi en avons même fait une autre l'an dernier, à San Calogero de Fiacca.

— Dites-moi une chose, vous vous souvenez des noms des autres participants ?

— Bien sûr, M. et Mme Bufalotta, les Contino, les Dominedò, les Raccuglia... On était une quarantaine.

MM. Bufalotta et Contino étaient sur la liste de ceux qui avaient téléphoné.

— Une dernière question, monsieur Belluzzo. Vous, lorsque vous êtes rentrés à Vigàta, les Griffo, vous les avez vus ?

— En toute honnêteté, je ne peux rien vous dire. Vous savez, commissaire, il était tard, il était onze heures du soir, il faisait nuit, nous étions tous fatigués...

Il était inutile de perdre du temps à passer d'autres coups de téléphone. Il appela Fazio.

— Ecoute, tous ces gens ont participé à une excursion à Tindari dimanche dernier. Les Griffo y étaient. L'excursion a été organisée par l'agence Malaspina.

— Je la connais.

— Bon, tu y vas et tu te fais donner la liste complète. Après, tu appelles tous ceux qui y étaient. Je les veux au commissariat demain matin à neuf heures.

— Et où est-ce qu'on les met ?

— J'en ai rien à foutre. Dressez un hôpital de campagne. Parce que le plus jeune d'entre eux, au minimum, il doit avoir soixante-cinq ans. Autre chose : fais-toi donner par M. Malaspina le nom du chauffeur qui conduisait le car ce dimanche-là. S'il est à Vigàta et pas en service, je le veux ici dans une heure.

Catarella, les yeux encore plus rouges, les cheveux dressés qu'on aurait dit un parfait détraqué, s'aprésenta avec une consistante liasse de papiers sous le bras.

— Tout de tout et architout je fis l'impression, *dottori* !

— Bon, laisse ça et va dormir. On se voit en fin d'après-midi.

— Comme vous me commannez, *dottori*.

Madone ! Maintenant il avait sur la table un paquet de six cents pages minimum !

Entra Mimì dans une forme resplendissante qui fit monter une bouffée de jalousie à Montalbano. Et aussi sec lui revint à l'esprit la prise de bec téléphonique qu'il avait eue avec Livia. Il s'assombrit.

— Ecoute, Mimì, à propos de cette Rebecca…

— Quelle Rebecca ?

— Ta fiancée, non ? Celle que tu veux épouser, pas marier comme tu as dit toi…

— C'est pareil.

— Non, ce n'est pas pareil, crois-moi. Donc, à propos de Rebecca…

— Elle s'appelle Rachele.

— D'accord, comme elle veut elle s'appelle. Je crois me souvenir que tu m'as dit que c'était une inspectrice de police et qu'elle besogne à Pavie. Exact ?

— Exact.

— Elle a fait une demande de transfert ?

— Pourquoi elle aurait dû ?

— Mimì, essaie de réfléchir. Quand vous serez mariés,

qu'est-ce que vous allez faire ? Continuer à rester toi à Vigàta et Rebecca à Pavie ?

— Ouh, quel tracassin ! Rachele elle s'appelle. Non, elle n'a pas fait de demande de transfert. Ce serait prématuré.

— Ben, tôt ou tard elle devra en faire une, non ?

Mimì inspira comme avant une descente en apnée.

— Je ne crois pas qu'elle va le faire.

— Pourquoi ?

— Parce que nous avons décidé que la demande de transfert, c'est moi qui la fais.

Les yeux de Montalbano se métamorphosèrent en ceux d'un serpent : fixes, glacés.

« Maintenant entre les lèvres il va lui pointer une langue fourchue », pinsa Augello, se sentant baigné de sueur.

— Mimì, tu es un fieffé saligaud. Ahier au soir, quand tu es venu me voir c'était pour me réciter juste une demi-messe. Tu m'as parlé du mariage, mais pas du transfert. Qui pour moi est la chose la plus importante. Et tu le sais très bien.

— Je te jure que je te l'aurais dit, Salvo ! S'il n'y avait pas eu cette réaction de ta part qui m'a déboussolé...

— Mimì, regarde-moi dans les yeux et dis-moi la vérité vraie : la demande, tu l'as déjà présentée ?

— Oui. Je l'avais présentée, mais...

— Et Bonetti-Alderighi, qu'est-ce qu'il a dit ?

— Qu'il allait falloir un peu de temps. Et il a dit aussi que... Rien.

— Parle.

— Il a dit qu'il était content. Que l'heure était venue que la clique de mafieux – il a dit comme ça – qui est au commissariat de Vigàta commince à se disperser.

— Et toi ?

— Ben…

— Allez, te fais pas prier.

— Je me suis repris ma demande qui était sur le bureau. Je lui ai dit que je voulais y repenser.

Montalbano resta un bon moment silencieux. Mimì avait l'air de sortir tout juste de dessous la douche. Puis le commissaire montra à Augello le paquet que lui avait apporté Catarella.

— Ça c'est tout ce qui était dans l'ordinateur de Nenè Sanfilippo. Un roman et plein de lettres, disons, d'amour. Qui serait mieux qualifié que toi pour lire ce genre de choses ?

Quatre

Fazio lui téléphona pour lui dire le nom du chauffeur qui avait conduit l'autocar de Vigàta à Tindari et retour : il s'appelait Tortorici Filippo, feu Gioacchino et de... Il s'arrêta à temps, peut-être qu'à travers le fil du téléphone, il avait senti que le commissaire commençait à avoir les nerfs. Il ajouta que le chauffeur était absent mais que M. Malaspina, avec lequel il était en train de dresser la liste des excursionnistes, lui avait assuré qu'il la lui expédierait au commissariat immédiatement après son retour, vers trois heures de l'après-midi. Montalbano jeta un coup d'œil à sa montre, il avait deux heures devant lui.

Il se dirigea automatiquement vers la trattoria San Calogero. Le propriétaire posa devant lui un hors-d'œuvre de la mer et le commissaire, d'un coup, sentit comme la morsure d'une tenaille qui lui fermait l'estomac. Impossible de manger, et même la vue des petits calamars, des jeunes poulpes, des clams, lui donna la nausée. Il se leva d'un bond.

Calogero, le garçon-patron se précipita, inquiet.

— *Dottore*, qu'est-ce qui fut ?

— Rin, Calò, elle m'est passée, l'envie de manger.

— Faites pas l'affront à ce hors-d'œuvre, c'est du très frais !

— Je le sais. Et je vous demande pardon.

— Vous vous sentez pas bien ?

Il lui vint une excuse.

— Bah, qu'est-ce que tu veux que je te dise, j'ai des frissons de fièvre, peut-être que je suis en train d'attraper la grippe.

Il sortit, sachant cette fois où il allait. Sous le phare, pour s'asseoir sur cette roche plate qui était devenue une espèce de rocher des pleurs. Il s'y était assis aussi la veille, quand il avait pensé à son camarade de 68, comment il s'appelait, il ne se le rappelait plus. Et sérieusement, il avait pleuré là, des larmes libératoires, quand il avait su que son père était mourant. Maintenant, il y retournait, à cause de l'annonce d'une fin pour laquelle il ne répandrait pas des pleurs, mais qui le poignait profondément. Une fin, oui, il n'exagérait pas. Peu importait que Mimì eût retiré sa demande de transfert, le fait était qu'il l'avait présentée.

Bonetti-Alderighi était notoirement un imbécile et cela, il l'avait brillamment confirmé en définissant le commissariat de Vigàta comme « une clique mafieuse ». En réalité, c'était une équipe unie, compacte, un mécanisme bien huilé, où chaque petite roue avait sa fonction et sa – pourquoi pas ? – personnalité. Et la courroie de transmission qui faisait fonctionner l'engrenage était justement Mimì Augello. Il fallait considérer l'affaire pour ce qu'elle était : une fissure, le début d'une brèche. D'une fin, justement. Combien de temps pourrait-il ou saurait-il résister, Mimì ? Encore deux mois ? Puis il céderait aux insistances de Rebecca, non, de Rachele, et bonjour chez vous.

« Et moi ? se demanda-t-il. Moi, qu'est-ce que je fais ? »

Une des raisons pour lesquelles il craignait la promotion et l'inévitable transfert était la certitude qu'il ne serait jamais plus en mesure, ailleurs, de construire une équipe comme celle qu'il avait, miraculeusement, réussi à réunir à Vigàta. Mais, tandis qu'il le pinsait, il savait que même pas ça, c'était la vraie virité de ce qu'il était en train de subir, de la souffrance, eh merde, t'as enfin réussi à le dire, le mot juste, qu'est-ce que t'as, t'avais honte ?, répète-le, ce mot, la souffrance qu'il éprouvait. Mimì, il l'aimait beaucoup, il le considérait comme plus qu'un ami, un frère cadet, c'est pourquoi son abandon annoncé l'avait cueilli en pleine poitrine avec la force d'un coup de revorber. Le mot trahison lui était un instant passé par la coucourde. Et Mimì avait eu le courage de se confier à Livia, dans l'absolue certitude qu'elle, à lui, à son homme, bon Dieu ! elle dirait rien. Et aussi de l'éventuelle demande de transfert, il lui avait parlé, et elle, ça non plus, elle n'y avait pas fait allusion, en toute complicité avec Mimì ! Joli couple !

Il comprit que sa souffrance se muait en une rage insensée et stupide. Il lui vint la honte : ce qu'en ce moment il était en train de pinser, ce n'était pas de lui.

Filippo Tortorici s'aprésenta à trois heures un quart, un peu hors d'haleine. C'était un petit homme d'une cinquantaine d'années, maigrichon, une touffe de cheveux juste au milieu de la tête, pour le reste pelée. Le portrait craché d'un oiseau que Montalbano avait vu dans un documentaire sur l'Amazonie.

— De quoi vous voulez me parler ? Mon patron, M. Malaspina, m'a ordonné de venir tout de suite chez vosseigneurie, mais il ne me donna pas d'explications.

— C'est vous qui avez fait le voyage Vigàta-Tindari dimanche dernier ?

— Oh que si, c'est moi. Quand la société organise

ces excursions, c'est toujours moi qu'on envoie. Les clients, ils me veulent, et ils demandent que ce soit moi à conduire. Il faut les comprendre, c'est tous des petits vieux avec des tas de besoins.

— Vous en faites souvent, de ces voyages ?

— A la bonne saison, au moins une fois tous les quinze jours. Tantôt à Tindari, tantôt à Erice, ou à Syracuse, ou…

— Les passagers sont toujours les mêmes ?

— Une dizaine, oui. Les autres, y changent.

— Pour ce que vous en savez, M. et Mme Alfonso et Margherita Griffo, ils y étaient, dans le voyage de dimanche ?

— Sûr qu'ils y étaient ! Moi j'ai la mémoire bonne ! Mais pourquoi vous me faites cette question ?

— Vous ne le savez pas ? Ils ont disparu.

— Oh petite Madone sainte ! Qu'esse ça veut dire, disparu ?

— Qu'après ce voyage, on les a plus revus. Même à la télévision, on l'a dit, que le fils est désespéré.

— Je le savais pas, je vous assure.

— Ecoutez, vous les connaissiez, les Griffo, avant l'excursion ?

— Oh que non, jamais vus.

— Alors, comment vous faites, à dire que les Griffo étaient sur l'autocar ?

— Parce que le patron, avant de partir, me remet la liste. Et moi, avant de partir, je fais l'appel.

— Et vous le faites aussi au retour ?

— Certainement ! Et les Griffo étaient là.

— Racontez-moi comment se déroulent ces voyages.

— En général, on part vers sept heures du matin. Suivant le temps qu'y faut pour arriver à destination. Les voyageurs sont tous des gens d'un certain âge, des pirsonnes comme ça. Ils font le voyage pas pour aller à

60

voir, qu'est-ce que je sais, la Madone noire de Tindari, mais pour passer une journée en compagnie. Vous m'avez compris ? Des papys, des vieux qui ont leurs grands enfants loin, sans amitiés... Durant le voyage, il y a quelqu'un qui fait une présentation de produits, qu'est-ce que je sais, des objets domestiques, des couvertures... On arrive toujours à temps pour la sainte messe de midi. A manger, ils y vont dans un restaurant avec lequel le patron a passé un accord. Le déjeuner est compris dans le billet. Et vous le comprenez ce qui se passe après qu'ils ont mangé ?

— Je ne sais pas, dites-le-moi, vous.

— Ils retournent à l'autobus et ils se font une petite sieste. Quand ils s'aréveillent, ils se mettent à faire le tour du pays, ils achètent des souvenirs, des petits cadeaux. A six heures, c'est-à-dire à dix-huit heures, je fais l'appel et on part. A huit heures, il est prévu un arrêt dans un bar pour un café au lait avec des biscuits, ça aussi compris dans le prix. On devrait arriver à Vigàta vers les dix heures du soir.

— Pourquoi avez-vous dit « devrait » ?

— Ça finit toujours qu'on arrive pus tard.

— Comment ça se fait ?

— Monsieur le commissaire, je vous l'ai dit : les passagers, c'est tous des petits vieux.

— Et alors ?

— Si un passager me demande de m'arrêter au premier bar ou à la première station-service passqu'il a un besoin pressant, moi, qu'est-ce que je fais ? Je m'arrête pas ? Eh si, je m'arrête.

— J'ai compris. Et vous vous rappelez si durant le voyage de retour de dimanche dernier quelqu'un vous a demandé de vous arrêter ?

— Commissaire, ils me firent arriver qu'on était pas loin de onze heures, on était ! Trois fois ! Et la dernière

fois, à même pas une demi-heure de route de Vigàta !
Que même je leur demandai s'ils pouvaient pas se retenir, on allait arriver. Rin, y a pas eu moyen. Et vous
savez ce qui se passe ? Que si y en a un qui descend, y
descendent tous, à tous il leur vient l'envie et comme
ça, on se perd un tas de temps.

— Vous vous souvenez qui c'est qui vous demanda
de faire le dernier arrêt ?

— Oh que non, sincèrement, je me l'arappelle pas.

— Il se passa rien de particulier, de curieux, d'insolite ?

— Et qu'est-ce qu'il devait se passer ? Si ça se
passa, je le remarquai pas.

— Vous êtes certain que les Griffo sont revenus à
Vigàta ?

— Commissaire, moi, au retour, je suis pas en devoir
de refaire l'appel. Si ces messieurs-dames étaient pas
remontés après un arrêt, leurs compagnons de voyage
s'en seraient aperçus. Du reste, moi, avant de partir, je
klaxonne trois fois et j'attends trois minutes, vraiment
au minimum.

— Vous vous souvenez où vous avez fait les arrêts
supplémentaires durant le voyage de retour ?

— Oh que oui. Le premier sur la voie rapide d'Enna,
après la station-service de Cascino. Le deuxième sur la
Palerme-Montelusa à la trattoria San Gerlando et le
dernier au bar-trattoria Paradiso, à une demi-heure
d'ici.

Fazio se pointa qu'il était presque sept heures.

— T'as pris tout ton temps.

Fazio ne répondit pas ; quand le commissaire faisait
des reproches sans raison, ça voulait dire qu'il avait
juste besoin de se passer les nerfs. Répondre n'aurait
fait qu'empirer les choses.

62

— Donc, *dottore*, les pirsonnes qui ont participé à cette excursion étaient quarante. Dix-huit maris et femmes, ce qui fait trente-six, deux commères qui font souvent ces voyages ensemble et ça fait trente-huit et les jumeaux Laganà qui manquent pas une excursion, ils sont pas mariés et ils vivent dans la même maison. Les jumeaux Laganà étaient les plus jeunes de la compagnie, cinquante-huit ans par tête. Parmi les voyageurs, figuraient aussi M. et Mme Griffo, Alfonso et Margherita.

— Tu leur as tous demandé de venir ici demain matin neuf heures ?

— C'est fait. Et pas par téléphone, mais en allant chez eux, l'un après l'autre. Je vous avertis qu'il y en a deux qui ne peuvent pas venir demain matin, il faudra aller les trouver si vous voulez les interroger. Ils s'appellent Scimè : la femme est malade et le mari peut pas se déplacer parce qu'il faut qu'il l'aide. Commissaire, une chose, je me suis permis.

— Quoi ?

— Je les ai réunis par groupes. Ils vont venir dix par dix toutes les heures. Comme ça, ça fera moins de chourmo.

— T'as bien fait, Fazio. Merci, tu peux y aller.

Fazio ne bougea pas, maintenant était venu le moment de la vengeance pour le reproche injustifié de tout à l'heure.

— A propos que j'ai pris tout mon temps, je voulais vous dire qu'à Montelusa aussi, j'allai.

— Qu'est-ce que t'y es allé faire ?

Mais qu'est-ce qui lui prenait, au commissaire, maintenant, il s'oubliait tout ?

— Vous vous arrappelez pas ? J'allai faire ce que vous me dites. A trouver ceux de la société Manzo qui avaient lâché le chèque de deux millions que nous

63

avons trouvé dans la poche à Nenè Sanfilippo. Tout en règle. M. Manzo lui donnait un million net par mois parce que le jeune allait surveiller l'ordinateur, voir si ça tournait bien, s'il y avait un truc à régler… Comme le mois passé, à cause d'une erreur, ils ne l'avaient pas payé, il lui avait fait un chèque du double.

— Donc Nenè besognait.

— Il besognait ?! Avec les sous que lui donnait la société Manzo, il payait plus ou moins le loyer ! Et le reste, où il le prenait ?

Mimì Augello se présenta à la porte qu'il faisait déjà nuit. Il avait les yeux rouges. A Montalbano, il vint l'idée que Mimì avait pleuré, dans une crise de repentance. Comme c'était, du reste, la mode : tout le monde, du pape au dernier des mafieux, se repentait de quelque chose. Mais non, rien du tout ! La première chose qu'Augello dit, en fait, ce fut :

— Les yeux, je suis en train de me les escagasser sur les papiers de Nenè Sanfilippo ! Je suis arrivé à la moitié des lettres.

— Il n'y a que les siennes ?

— Tu parles ! C'est une vraie correspondance. Ses lettres et celles de la fille, mais elle, elle signe pas.

— Mais combien il y en a ?

— Une cinquantaine de chaque. Pendant une certaine période, ils se sont échangé une lettre tous les deux jours… Ils le faisaient et ils le commentaient.

— J'ai pas bien compris.

— Bon, vous allez comprendre. Disons que le lundi, ils se retrouvaient au lit. Le mardi, ils s'écrivaient l'un à l'autre une lettre, où ils commentaient, avec abondance de détails, tout ce qu'ils avaient fabriqué la veille. Vu par elle et vu par lui. Le mercredi, ils se revoyaient et le

64

lendemain, ils s'écrivaient. C'est des lettres absolument cochonnes et dégueulasses, des fois j'en rougissais.

— Les lettres sont datées ?

— Toutes.

— Ça, j'ai du mal à y croire. Avec la poste qu'on a, comment elles faisaient les lettres, pour arriver ponctuellement le lendemain ?

Mimì secoua la tête, en faisant signe que non.

— Je crois pas qu'ils les expédiaient par la poste.

— Et comment ils se les envoyaient ?

— Ils se les envoyaient pas. Ils se les remettaient de la main à la main, quand ils se rencontraient. Ils les lisaient probablement au lit. Et après, ils commençaient à baiser. C'est un excellent excitant.

— Mimì, ça se voit qu' t'es passé maître dans ces choses. En plus de la date, dans les lettres, il y a la provenance ?

— Celles de Nenè partent toujours de Vigàta. Celles de la fille de Montelusa, ou plus rarement, de Vigàta. Et ça, ça renforce mon hypothèse. Ils se rencontraient de temps en temps à Montelusa. C'est une femme mariée. Souvent, elle et lui font allusion au mari, mais ils n'en prononcent jamais le nom. La période de plus grande fréquence de leurs rencontres coïncide avec un voyage à l'étranger du mari. Dont le nom, je le répète, n'est jamais mentionné.

— Il me vient une idée, Mimì. Ça ne pourrait pas être une couillonnade, tout ça, une invention du jeune ? Et si la fille n'existait pas, qu'elle soit le fruit de ses fantasmagories érotiques ?

— Je crois que les lettres sont authentiques. Il les a mises dans l'ordinateur et il a détruit les originaux.

— Qu'est-ce qui te rend si sûr qu'elles sont authentiques ?

— Ce qu'elle écrit, elle. Les femmes donnent des

descriptions minutieuses, avec des détails que, à nous, les hommes, ils nous passeraient même pas par l'antichambre de la cervelle, des détails sur ce qu'éprouve une femme pendant qu'elle fait l'amour. Tu vois, ils le font de toutes les manières, normale, orale, anale, dans toutes les positions, dans des occasions diverses et elle, chaque fois, dit quelque chose de nouveau, d'intimement nouveau. Si c'était une invention du jeune, ça ne fait pas de doute, il serait devenu un grand écrivain.

— A quel point es-tu arrivé ?

— Il m'en manque une vingtaine. Puis j'attaque le roman. Tu sais, Salvo, j'ai plus ou moins l'idée de comment arriver à comprendre qui est la fille.

— Dis-moi.

— C'est trop tôt. Je dois y pinser.

— Moi aussi, j'ai peut-être plus ou moins une idée.

— Et ça serait ?

— Qu'il s'agit d'une femme plus très jeune qui s'est pris un amant de vingt ans. Et elle le payait un joli paquet.

— Je suis d'accord. Sauf que si la femme est celle que je pense, moi, elle n'a pas un certain âge. Elle est plutôt jeune. Et ce n'était pas une histoire de fric.

— Donc, tu penses à une histoire de cocus ?

— Pourquoi pas ?

— Et peut-être que tu as raison.

Non, Mimì n'avait pas raison. Il le sentait, à vue de nez, à fleur de peau que derrière le meurtre de Nenè Sanfilippo il devait y avoir une grosse affaire. Alors, pourquoi acquiesçait-il à l'hypothèse de Mimì ? Pour qu'il soit sage ? Quel était le verbe juste ? Ah, voilà : le flatter. Il se l'embobinait honteusement. Peut-être était-il en train de se comporter comme ce directeur de journal qui, dans un film intitulé *Spéciale première*, remuait ciel et terre pour empêcher que son journaliste numéro un aille s'installer, par amour, dans une autre ville. C'était un film comique, avec Matthau et Lemmon, et lui se souvenait d'avoir été mort de rire. Comment se faisait-il que maintenant, en y repensant, il ne lui venait même pas un demi-sourire aux lèvres ?

— Livia ? Bonjour, ça va ? Je voulais te poser deux questions et puis te dire une chose.

— Quel numéro, les questions ?

— Pardon ?

— Les questions. Quel est leur numéro de procédure ?

— Allez...

— Mais tu te rends pas compte que tu t'adresses à moi comme si t'étais au bureau ?

— Excuse-moi, je n'avais nullement l'intention...

— Allons-y, pose la première.

— Livia, admettons qu'on ait fait l'amour...

— Je ne peux pas. L'hypothèse est trop lointaine.

— Je t'en prie. C'est une question sérieuse.

— C'est bon, attends que je rassemble mes souvenirs. J'y suis. Continue.

— Toi, le lendemain, tu m'enverrais une lettre pour me décrire tout ce que tu as ressenti ?

Il y eut une pause, si longue que Montalbano pinsa que Livia s'en était allée, le laissant en plan.

— Livia ? Tu es encore là ?

— Je réfléchissais. Non, moi, personnellement, je ne le ferais pas. Mais peut-être une autre femme, en proie à une forte passion, peut-être qu'elle le ferait.

— La deuxième question est celle-ci : quand Mimì Augello te confia qu'il avait l'intention de se marier...

— Oh Seigneur, Salvo, qu'est-ce que t'es ennuyeux quand tu décides de t'y mettre !

— Laisse-moi finir. Il t'a dit aussi qu'il lui faudrait poser une demande de transfert ? Il te l'a dit ?

Cette fois, la pause fut plus longue que la première. Mais Montalbano savait qu'elle était encore à l'autre bout, elle s'était mise à respirer fort. Puis, dans un filet de voix, elle demanda :

— Il l'a fait ?

— Oui, Livia, il l'a fait. Puis, à cause d'une réflexion imbécile du questeur, il l'a retirée. Mais temporairement, seulement, je crois.

— Salvo, crois-moi, il ne m'a fait aucune allusion à l'éventualité de quitter Vigàta. Et je ne pense pas qu'il l'avait en tête lorsqu'il m'a annoncé son mariage. Je suis désolée. Très. Et je comprends à quel point tu dois l'être. C'est quoi, ce que tu voulais me dire ?

— Que tu me manques.

— Vraiment ?

— Oui, beaucoup.

— Beaucoup comment ?

— Beaucoup beaucoup.

Voilà, comme ça. S'abandonner à la banalité la plus absolue. Et certainement la plus vraie.

Il venait juste d'aller se coucher avec le livre de Vázquez Montalbán. Il commença à le relire du début. A la fin de la troisième page, le téléphone sonna. Il y pinsa un moment, l'envie de ne pas répondre était forte, mais si ça se trouve, on allait insister jusqu'à lui mettre les nerfs.

— Allô ? Je parle avec le commissaire Montalbano ?

Il ne reconnaissait pas la voix.

— Oui.

— Commissaire, je vous demande pardon de devoir vous déranger à cette heure où vous goûtez un repos bien mérité en famille…

Mais quelle famille ? Qu'est-ce qu'ils étaient allés se fourrer dans la tronche, de Lactes à l'inconnu, avec cette histoire de famille qu'il n'avait pas ?

— Mais qui parle ?

— … mais je devais être certain de vous trouver. Je suis l'avocat Guttadauro. Je ne sais pas si vous vous souvenez de moi…

Et comment ne pas se rappeler de Guttadauro, avocat préféré des mafieux qui, à l'occasion du meurtre de la très belle Michela Licalzi, avait tenté, à l'époque, de mouiller le chef de la Criminelle de Montelusa ?

— Vous permettez un instant, maître ?

— Seigneur Dieu ! C'est moi, au contraire, qui dois…

Il le laissa parler et alla à la salle de bains. Il se vida la vessie, se lava abondamment le visage. Quand on parlait avec Guttadauro, il fallait être bien réveillé et attentif, saisir même la plus évanescente nuance des mots qu'il utilisait.

— Me voilà, maître.

— Ce matin, cher commissaire, je suis allé trouver mon vieil ami et client don Balduccio Sinagra que vous connaissez certainement, sinon de personne, du moins de nom.

Pas seulement de nom, mais aussi de notoriété. Le chef d'une des deux familles de mafia, l'autre était celle des Cuffaro, qui se disputaient le territoire de la province de Montelusa. Avec au minimum, un mort par mois de chaque côté.

— Oui, j'ai déjà entendu ce nom.

— Bien. Don Balduccio est d'un âge très avancé, avant-hier, il a eu quatre-vingt-dix ans. Il souffre de quelques petites misères, c'est naturel, vu son âge, mais il a encore une tête très claire, il se souvient de tous et de tout, il suit les journaux, la télévision. Je vais souvent le voir parce qu'il m'enchante avec ses souvenirs et, je l'avoue humblement, par sa sagesse éclairée. Pensez que...

Oh, il voulait rigoler, Me Orazio Guttadauro ? Il lui téléphonait à la maison à une heure du matin pour lui casser menu les bonbons avec un rapport sur l'état de santé physique et mentale d'un criminel comme Balduccio Sinagra, que plus vite il crevait et mieux ça valait ?

— Maître, ne croyez-vous pas que...

— Pardonnez-moi la longue digression, *dottore*, mais quand je me mets à parler de don Balduccio envers qui je nourris les sentiments de la plus profonde considération...

— Maître, écoutez...

— Excusez-moi, excusez-moi. Pardonné ? Pardonné. J'en viens au vif du sujet. Ce matin, don Balduccio, en parlant à bâtons rompus, a prononcé votre nom.

— Sur la tête de qui, les bâtons ?

A Montalbano, la blague était sortie sans qu'il ait pu l'arrêter.

— Je n'ai pas compris, dit l'avocat.

— Laissez tomber.

Et il n'ajouta rien d'autre, il voulait que ce soit Guttadauro qui parle. Mais il tendit un peu plus l'oreille.

— Il a demandé de vos nouvelles. Si votre santé était bonne.

Un petit frisson parcourut l'épine dorsale du commissaire. Si don Balduccio s'informait de la santé d'une pirsonne, dans quatre-vingt-dix pour cent des cas, à quelques jours de là, la pirsonne en question montait au cimetière sur la colline de Vigàta. Cette fois non plus, il n'ouvrit pas la bouche pour encourager Guttadauro au dialogue. Mijote dans ton jus, cornard.

— Le fait est qu'il souhaiterait beaucoup vous voir, balança enfin l'avocat.

— Pas de problème, dit Montalbano, avec un aplomb d'enfer.

— Merci, commissaire, merci ! Vous ne pouvez pas imaginer combien je suis heureux de votre réponse ! J'étais certain que vous auriez répondu au désir d'un vieil homme qui, malgré tout ce qu'on dit sur son compte...

— Il vient au commissariat ?

— Qui ?

— Comment, qui ? M. Sinagra. Vous ne venez pas tout juste de dire qu'il voulait me voir ?

Guttadauro émit un « ehm ehm » d'embarras.

— *Dottore*, le fait est que don Balduccio se déplace avec une extrême difficulté, ses jambes ne le soutiennent pas. Il serait très pénible pour lui de venir au commissariat, comprenez-moi...

— Je comprends parfaitement combien ce serait pénible pour lui de venir au commissariat.

L'avocat préféra ne pas relever l'ironie. Ils gardèrent le silence.

— Alors, où devons-nous nous rencontrer ? demanda le commissaire.

— Bah, don Balduccio suggérait que... en somme, si vous pouviez avoir la gentillesse d'aller chez lui...

— Je n'ai rien contre. Naturellement, avant, il faudra que j'avertisse mes supérieurs.

Il n'avait naturellement aucune intention de parler avec cet imbécile de Bonetti-Alderighi. Mais il voulait s'amuser un peu aux dépens de Guttadauro.

— C'est vraiment nécessaire ? demanda d'une voix pitoyable l'avocat.

— Ben, je dirais que oui.

— Voilà, vous voyez, commissaire, don Balduccio pensait à un entretien confidentiel, très confidentiel, prodrome peut-être d'importants développements.

— Prodrome, vous dites ?

— Eh oui.

Montalbano poussa un soupir bruyant, résigné, de marchand contraint à vendre à bas prix.

— Dans ce cas…

— Ça irait pour vous demain vers dix-huit heures trente ? demanda promptement l'avocat comme s'il craignait que le commissaire ne change d'avis.

— Ça ira.

— Merci, merci encore ! Ni don Balduccio ni moi ne doutions de votre noble gentillesse, de votre…

Cinq

A peine sorti de la voiture, il était huit heures du matin, il entendit déjà depuis la rue un grand ramdam qui provenait de l'intérieur du commissariat. Il entra. Les dix premiers convoqués, cinq maris et leurs femmes respectives, s'étaient aprésentés avec une copieuse avance et se comportaient de la même manière que les minots d'une école maternelle. Ils riaient, ils blaguaient, ils se flanquaient des bourrades, ils s'embrassaient. A Montalbano, il lui vint aussitôt à l'esprit que quelqu'un aurait peut-être dû prendre en considération la création d'écoles gériatriques communales.

Catarella, chargé par Fazio de l'ordre public, eut la malencontreuse idée de crier :

— Le *dottori* commissaire pirsonnellement en pirsonne arriva !

En moins de deux, ce jardin d'enfants, inexplicablement, se transforma en un champ de bataille. A coups de bousculades, de croche-pieds, se retenant réciproquement, qui par un bras, qui par le gilet, tous assaillirent le commissaire, tentant d'arriver les premiers. Et durant ce corps à corps, ils parlaient et vociféraient, assourdissant Montalbano d'un brouhaha incompréhensible.

— Mais que se passe-t-il ? demanda-t-il, prenant une voix militaire.

Il se fit un calme relatif.

— Et je vous en prie, pas de partialité ! dit l'un, à moitié nain, en se mettant sous son nez. On procède à l'appel par ordre très strictement aflabétique !

— Oh que non monsieur et que non monsieur ! L'appel est fait par rang d'âge ! proclama, furibard, un second.

— Comment vous appelez-vous ? demanda le commissaire au demi-nain qui avait aréussi à parler en premier.

— Abate Luigi, je m'appelle, dit-il en regardant autour de lui comme pour réfuter un éventuel démenti.

Montalbano se félicita lui-même d'avoir gagné le pari. Il s'était dit que le demi-nain, partisan de l'appel par ordre alphabétique, portait certainement un nom du genre Abate ou Abete, la Sicile manquant de noms du type Alvar Aalto.

— Et vous ?

— Zotta Arturo. Et je suis le plus vieux de tous ceux qui sont là !

Et sur le deuxième aussi, il ne s'était pas gouré.

Après la traversée aventureuse de cette dizaine de personnes qui en paraissait une centaine, le commissaire se barricada dans sa pièce avec Fazio et Galluzzo, laissant Catarella de garde pour contenir d'autres tumultes sénatoriaux.

— Mais comment ça se fait qu'ils sont déjà tous là ?

— Commissaire, si vraiment vous voulez tout savoir, à huit heures du matin, il s'en était aprésenté quatre des convoqués, deux maris avec deux femmes. Qu'est-ce que vous voulez, ils sont vieux, ils souffrent de manque de sommeil, la curiosité se les mange tout crus. Imaginez-vous que là, il y a un couple qui devait venir à dix heures, expliqua Fazio.

— Ecoutez, mettons-nous d'accord. Vous êtes libres de poser les questions qui vous semblent les plus opportunes. Mais il y en a quelques-unes qui sont indispensables. Prenez note. Première question : connaissiez-vous les Griffo avant l'excursion ? Si oui, où, quand, comment. Si quelqu'un dit qu'il connaissait les Griffo avant, ne le laissez pas partir parce que je veux lui parler moi-même. Deuxième question : où étaient assis les Griffo dans l'autocar, tant pour le voyage aller qu'au retour ? Troisième question : les Griffo, pendant l'excursion, ont-ils parlé avec quelqu'un ? Si oui, de quoi ? Quatrième question : pourriez-vous me dire ce qu'ont fait les Griffo durant la journée passée à Tindari ? Ont-ils rencontré des gens ? Sont-ils allés chez un particulier ? N'importe quelle information à ce sujet est fondamentale. Cinquième question : savez-vous si les Griffo sont descendus du car à un des trois arrêts imprévus effectués durant le voyage de retour à la demande des passagers ? Si oui, auquel des trois ? Les avez-vous vus remonter ? Sixième et dernière question : les avez-vous remarqués après l'arrivée de l'autocar à Vigàta ?

Fazio et Galluzzo se regardèrent.

— Je crois comprendre que vous pensez que les Griffo, il leur est arrivé quelque chose pendant le voyage de retour, dit Fazio.

— C'est juste une hypothèse. Sur laquelle nous devons besogner. Si quelqu'un vient nous dire qu'il les a vus tranquillement descendre à Vigàta et rentrer chez eux, nous avec cette hypothèse, on va chercher à cet endroit-là. Et il faudra tout recommencer à zéro. Une chose surtout, essayez de ne pas vous égarer, si on laisse du champ à ces petits vieux, on est foutus : si ça se trouve, ils nous racontent l'histoire de leur vie. Autre recommandation, interrogez les couples de façon à ce qu'un se prenne la femme et l'autre le mari.

— Et pourquoi ? demanda Galluzzo.

— Parce qu'ils s'influenceraient mutuellement, même en toute bonne foi. Vous deux, vous vous en prenez trois par tête, moi je me prends les autres. Si vous faites comme j'ai dit et que la Madone est avec nous, on s'en démerdera vite.

Dès le premier interrogatoire, le commissaire se rendit compte qu'il s'était presque à coup sûr trompé dans ses prévisions et que tout dialogue pouvait très facilement glisser dans l'absurde.

— Nous avons fait connaissance il y a peu. Il me semble que vous vous appelez Arturo Zotta, n'est-ce pas ?

— Sûr que c'est vrai. Zotta Arturo, fils de feu Giovanni. Mon père avait un cousin qui était étameur. Et souvent on le prenait pour lui. Mon père par contre…

— Monsieur Zotta, je suis…

— Je voulais aussi vous dire que j'éprouve une très grande satisfaction.

— De quoi ?

— Pour le fait que vous fîtes la chose que je vous dis de faire.

— C'est-à-dire ?

— De commencer par le rang d'âge. Le plus vieux de tous, je suis. Soixante-dix-sept ans, j'ai, que je fais dans deux mois et cinq jours. Il faut du respect pour les vieux. C'est ce que je dis et que je répète à mes petits-enfants mal élevés. C'est le manque de respect qui fout en l'air l'univers créé. Vous n'étiez même pas né à l'époque de Mussolini. A l'époque de Mussolini, oui

76

qu'il y en avait du respect ! Et si tu manquais de respect, tzac, on te coupait la tête. Je me souviens…

— Monsieur Zotta, à dire vrai, nous avons décidé de ne pas suivre d'ordre, ni alphabétique ni…

Le vieux eut un petit rire tout en « i ».

— Et comment j'ai pu me faire avoir ? La main au feu, j'y aurais mis ! Ici dedans, que ça devrait être la maison mère de l'ordre, eh bè, que non monsieur, de l'ordre, on s'en contrefout ! On marche à la six-quatre-deux ! A la va-comme-je-te-pousse ! A la sans-façon, on fait ! Mais moi je dis : vous en aimez le verso ? Et après on se plaint que les jeunes se droguent, qu'ils volent, qu'ils tuent…

Montalbano se maudit. Comment avait-il fait pour se laisser piéger par ce vieillard logorrhéique ? Il fallait stopper l'avalanche. Tout de suite, ou il allait être inexorablement emporté.

— Monsieur Zotta, s'il vous plaît, ne nous égarons pas.

— Hein ?

— Ne divaguons pas !

— Et qui c'est qui divague ? Vous croyez que je me suis levé à six heures du matin pour venir ici à divaguer ? Vous pensez que je n'ai rien de mieux à faire ? D'accord, je suis à la retraite, mais…

— Vous connaissiez les Griffo ?

— Les Griffo ? Jamais vus avant l'excursion. Et même après l'excursion, je peux dire que je ne les connais pas. De nom, ça oui. Je l'entendis appeler quand le chauffeur fit l'appel pour le départ et eux ils répondirent présint. Nous ne nous sommes pas salués ni même parlé. *Né scu né passiddrà*, ni oui ni merde. Ils sont restés taciturnes et à part, dans leur coin. Maintenant voyez, monsieur le commissaire, ces voyages, ils deviennent beaux si tout le monde sait se tenir en

compagnie. On blague, on rit, on pousse la chanson-
nette. Mais si au contraire…

— Vous êtes sûr que vous n'avez jamais rencontré
les Griffo ?

— Et où ?

— Eh bien, au marché, au bureau de tabac.

— Les courses, ma femme les fait et moi je ne fume
pas. Mais…

— Mais ?

— J'ai connu un type qui s'appelait Pietro Giffo.
Peut-être que c'était un parent, il manque juste le « r ».
Ce Giffo, qui était commis voyageur, c'était un mar-
rant. Une fois…

— Par hasard, est-ce que vous avez croisé les Griffo
durant la journée passée à Tindari ?

— Ma femme et moi, on voit jamais personne de la
compagnie où qu'on aille. On arrive à Palerme ? Et là,
moi, j'ai un beau-frère. On descend à Erice ? Et là, moi,
j'ai un cousin. Ils me font bon accueil, ils m'invitent à
manger. A Tindari, alors n'en parlons pas ! J'ai un
neveu, Filippo, qui est venu nous chercher à l'autocar, il
nous a amenés chez lui, sa femme nous avait préparé le
sfincione [1] en entrée et pour après, une…

— Lorsque le chauffeur a fait l'appel pour le retour,
les Griffo ont répondu ?

— Oh que oui, monsieur, je les entendis qui répon-
daient.

— Avez-vous remarqué s'ils sont descendus à l'un
des trois arrêts imprévus que l'autocar a faits pendant le
voyage de retour ?

— Commissaire, je viens de vous dire ce que mon

1. Sorte d'épaisse pizza avec garniture de tomates et oignons.
(*N.d.T.*)

neveu Filippo nous prépara à manger. Une chose qu'on pouvait même pas se lever du siège tant ça pesait ce qu'on avait dans le ventre ! Au retour, à l'arrêt prévu pour le café au lait avec des biscuits, moi je ne voulais même pas descendre. Et puis ma femme me rappela que, de toute façon, c'était déjà tout payé. Est-ce qu'on pouvait gaspiller les sous ? Et alors je me pris juste un peu de lait avec deux biscuits. Et aussi sec me tomba dessus la somnolence. Ça m'arrive toujours après avoir mangé. Bref, je m'endormis. Et encore heureux que je n'ai pas voulu de café ! Parce qu'il faut savoir, mon bon monsieur, que le café…

— … vous empêche de fermer l'œil. Une fois arrivés à Vigàta, avez-vous vu descendre les Griffo ?

— Cher monsieur, à l'heure qu'il était et avec la nuit qu'il faisait, moi, à un moment, je ne savais même pas si ma femme était descendue !

— Vous vous rappelez où vous étiez assis ?

— Je me souviens très bien où nous étions assis ma femme et moi. Juste au milieu de l'autocar. Devant il y avait les Bufalotta, derrière les Raccuglia, à côté les Persico. Que des gens de connaissance, c'était le cinquième voyage qu'on faisait 'nsemble. Les Bufalotta, les pôvres, ils ont besoin de se distraire. Leur fils aîné, Pippino, mourut alors que…

— Vous rappelez-vous où étaient assis les Griffo ?

— Il me semble au dernier rang.

— Celui qui a cinq places l'une à côté de l'autre sans accoudoirs ?

— Il me semble.

— Bien, c'est tout, monsieur Zotta, vous pouvez y aller.

— Ce qui veut dire ?

— Ce qui veut dire que nous avons terminé et que vous pouvez rentrer chez vous.

— Mais comment ?! Qu'est-ce que c'est que ça, nom d'une pipe ? Et pour une foutaise pareille, vous dérangez un vieillard de soixante-dix-sept ans et sa femme de soixante-cinq ? A six heures du matin on s'est levés ! Mais vous croyez que c'est des façons ?

Lorsque le dernier petit vieux fut parti, il était déjà presque une heure et le commissaire se crut téléporté dans un endroit où toute une horde aurait pique-niqué. D'accord, au bureau il n'y avait pas d'herbe, mais au jour d'aujourd'hui où est-ce qu'on la trouve, l'herbe ? Et celle qui arrive encore à résister près du bourg, qu'est-ce que c'est, de l'herbe ? Quatre brins rabougris et à moitié jaunis que si tu mets la main dedans, neuf fois sur dix tu te fais piquer par une seringue qui y est cachée.

Sur ces belles pinsées, la mauvaise humeur était à nouveau en train de s'emparer du commissaire lorsqu'il s'aperçut que Catarella, chargé du nettoyage, s'était tout à coup momifié, le balai dans une main et dans l'autre un machin qu'on n'identifiait pas bien.

— Regardez-moi ça ! Regardez-moi ça ! murmurait-il ahuri en fixant ce qu'il tenait dans la main après l'avoir ramassé par terre.

— Qu'est-ce que c'est ?

Sur le coup, à Catarella, sa figure lui devint une flambée cramoisie.

— Un prisirfatif, *dottori* !

— Utilisé ? s'enquit le commissaire, abasourdi.

— Oh que non, *dottori*, encore empaqueté il est.

Voilà, c'était la seule différence avec les détritus d'un véritable pique-nique. Pour le reste, la même saleté désolante, mouchoirs en papier, mégots, cannettes de coca, de bière, de boissons à l'orange, bouteilles d'eau minérale, morceaux de pain et de biscuits, et carrément un cône glacé dans un coin qui fondait lentement.

Comme Montalbano s'en était rendu compte après une première comparaison des réponses obtenues par Fazio, Galluzzo et lui, et c'était sans aucun doute l'une des causes, si ce n'est la principale, de son humeur peu amène, il s'avéra que, sur les Griffo, ils en savaient exactement autant qu'avant.

Excepté celle du chauffeur, l'autocar avait cinquante-quatre places assises. Les quarante excursionnistes s'étaient tous regroupés dans la partie avant, vingt d'un côté et vingt de l'autre avec le couloir au milieu. Les Griffo en revanche avaient voyagé, tant à l'aller qu'au retour, assis à deux des cinq places de la dernière rangée, avec derrière eux la grande lunette arrière. Ils n'avaient adressé la parole à personne et personne ne leur avait adressé la parole. Fazio lui rapporta que l'un des passagers lui avait dit : « Vous savez une chose ? Au bout d'un moment, on les a oubliés. C'était comme s'ils ne voyageaient pas avec nous dans le même autocar. »

— Mais, dit brusquement le commissaire, il manque encore la déposition du couple dont la femme est malade. Scimè, il me semble.

Fazio eut un petit sourire.

— Et vous croyez que Mme Scimè allait se faire exclure du festin ? Ses copines oui, et elle non ? Elle s'est aprésentée, accompagnée de son mari, qu'elle tenait même pas sur ses cannes. Trente-neuf, elle avait. J'ai parlé avec elle, Galluzzo avec le mari. Rien, elle pouvait s'épargner ce surmenage.

Ils se regardèrent, accablés.

— *Nottata persa e figlia fimmina*, une nuit de perdue et c'est une fille, commenta Galluzzo en citant la phrase proverbiale d'un mari qui, après avoir assisté toute la nuit sa femme en train d'accoucher, s'était vu naître une minotte au lieu du rejeton mâle convoité.

— On va manger ? demanda Fazio en se levant.

— Allez-y. Moi je reste encore. Qui est de garde ?

— Gallo.

Resté seul, il se mit à examiner le croquis, fait par Fazio, qui représentait le plan du car. Un petit rectangle isolé en haut avec écrit dedans : chauffeur. Venaient ensuite douze rangées de quatre rectangles avec les noms de leurs occupants écrits à l'intérieur.

En le regardant, le commissaire se rendit compte de la tentation à laquelle Fazio s'était refusé : celle de dessiner d'énormes rectangles avec dedans l'identité complète des occupants, nom, prénom, ascendants paternels, ascendants maternels… Sur le dernier rang de cinq places, Fazio avait écrit Griffo de façon à ce que les lettres du nom occupent les cinq rectangles : visiblement, il n'avait pas réussi à comprendre lesquelles des cinq places les disparus avaient occupées.

Montalbano commença à s'imaginer le voyage. Après les premières salutations, quelques minutes d'inévitable silence pour mieux s'installer, se délester des écharpes, casquettes, chapeaux, vérifier si dans son sac ou sa poche, on avait bien ses clés, ses lunettes… Ensuite les premiers signes d'allégresse, les premiers dialogues à voix haute, des phrases qui s'entrecroisaient… Et le chauffeur qui demandait : vous voulez que j'allume la radio ? Un chœur de non… Et peut-être, de temps en temps, quelqu'un ou quelqu'une qui se tournait vers le fond, vers la dernière rangée où se trouvaient les Griffo, l'un à côté de l'autre, immobiles et apparemment sourds puisque les huit places vacantes entre eux et les autres passagers faisaient une sorte de barrière aux sons, aux mots, aux bruits, aux rires.

Ce fut là que Montalbano se donna une tape sur le front. Il l'avait oublié ! Le chauffeur lui avait dit un truc précis et ça lui était complètement sorti de la tête.

— Gallo !

Plutôt qu'un nom, il lui jaillit de la gorge un cri cassé. La porte s'ouvrit à la volée et apparut Gallo, effrayé.

— Qu'est-ce qu'il y a, commissaire ?

— Appelle-moi d'urgence la société des autocars que j'ai oublié comment elle s'appelle. S'il y a quelqu'un, passe-le-moi tout de suite.

Il eut de la chance. Le comptable répondit.

— J'ai besoin d'une information. Durant le voyage à Tindari de dimanche dernier, en dehors du chauffeur et des passagers, y avait-il quelqu'un d'autre à bord ?

— Bien sûr. Vous voyez, *dottore*, notre agence permet à des représentants en articles ménagers, détergents, bibelots, de…

Il l'avait dit sur le ton d'un roi qui accorde une grâce.

— Combien vous faites-vous payer ? demanda Montalbano, sujet peu respectueux.

Le ton royal de l'autre se changea en une sorte de balbutiement laborieux.

— Vous… vous… de… vez… co… considérer que le pou… pourcentage…

— Ça ne m'intéresse pas. Je veux le nom du représentant qui était de ce voyage et son numéro de téléphone.

— Allô ? Je suis bien chez les Dileo ? Le commissaire Montalbano, je suis. Je voudrais parler avec madame ou mademoiselle Beatrice.

— C'est moi, commissaire. Mademoiselle. Et je me demandais quand vous alliez vous décider à m'interroger. Si vous ne l'aviez pas fait aujourd'hui, je serais venue au commissariat.

— Vous avez fini de manger ?

— Je n'ai pas encore commencé. Je rentre juste de Palerme, j'ai passé un examen à l'université et comme je vis seule, il faudrait que je me mette à faire la cuisine. Mais je n'en ai pas très envie.

— Voulez-vous venir déjeuner avec moi ?

— Pourquoi pas ?

— On se retrouve d'ici une demi-heure à la trattoria San Calogero.

Les huit hommes et les quatre femmes qui mangeaient à ce moment-là à la trattoria s'arrêtèrent, l'un après l'autre, avec la fourchette en l'air, et regardèrent la jeune fille qui venait d'entrer. Une vraie beauté, grande, blonde, mince, cheveux longs, yeux bleu clair. Une fille comme on en voit sur les couvertures des magazines, sauf que celle-ci avait l'air d'une bonne maîtresse de maison. Qu'est-ce qu'elle fichait à la trattoria San Calogero ? Le commissaire eut à peine le temps de se poser la question que la créature se dirigea vers sa table.

— Vous êtes le commissaire Montalbano, n'est-ce pas ? Je suis Beatrice Dileo.

Elle s'assit, Montalbano resta encore un instant debout, sidéré. Beatrice Dileo n'avait pas une ombre de maquillage, elle était comme ça nature. C'était peut-être pour ça que les femmes présentes continuaient à la regarder sans jalousie. Comment faire pour être jaloux d'un jasmin d'Arabie ?

— Qu'est-ce que vous prenez ? demanda Calogero en s'approchant. Aujourd'hui j'ai un beau risotto à l'encre de seiche qui est tout à fait spécial.

— Pour moi, ça ira. Et pour vous, Beatrice ?

— Pour moi aussi.

84

Montalbano, avec satisfaction, nota qu'elle n'avait pas ajouté une phrase typiquement féminine : mais rien qu'un peu, surtout. Deux cuillerées. Une cuillerée. Treize grains de riz pas plus… Seigneur, l'antipathie qu'elles lui faisaient !

— En second, j'aurai du loup pêché de cette nuit ou…

— Pour moi, ça ira, pas de ou. Et vous, Beatrice ?

— Du loup.

— Pour vous, commissaire, comme d'habitude, eau minérale et Corvo blanc. Et pour vous, mademoiselle ?

— Pareil.

Mais enfin, ils étaient mariés ou quoi ?

— Ecoutez, commissaire, dit Beatrice avec un sourire, il faut que je vous avoue une chose. Moi quand je mange, je n'arrive pas à parler. Alors vous m'interrogez avant qu'on apporte le risotto ou entre les deux plats.

Jésus ! C'était donc vrai que, dans la vie, se produit le miracle de rencontrer l'âme sœur ! Dommage que, comme ça, à vue de nez, elle devait bien avoir vingt-cinq ans de moins que lui.

— Mais allons donc, vous interroger ! Parlez-moi plutôt de vous.

Et ainsi, avant que Calogero n'arrive avec le risotto spécial qui était bien plus que simplement spécial, Montalbano apprit que Beatrice avait, justement, vingt-cinq ans, qu'elle était auditrice libre en Lettres à Palerme, qu'elle était représentante pour les établissements « Sirio, articles ménagers » pour vivre et payer ses études. Sicilienne malgré les apparences, probablement une sicilo-normande, née à Aidone où vivaient encore ses parents. Pourquoi donc habitait-elle et besognait-elle à Vigàta ? C'était simple : deux ans auparavant, à Aidone, elle avait rencontré un jeune de Vigàta, lui aussi étudiant à Palerme, mais en droit. Ils étaient tombés amoureux, elle avait eu une engueulade épouvantable avec ses parents qui s'y opposaient et avait suivi le jeune homme à Vigàta. Ils avaient pris un petit appartement au sixième étage d'un gros immeuble laid à Piano Lanterna. Mais du balcon de la chambre à coucher, on voyait la mer. Au bout d'à peine quatre mois de bonheur, Roberto, c'était le nom de son petit ami, lui avait laissé un gentil petit mot par lequel il l'informait qu'il s'installait à Rome où l'attendait sa fiancée, une cousine éloignée. Elle n'avait pas eu le courage de rentrer à Aidone. C'était tout.

Puis, avec le nez, le palais, la gorge envahis du merveilleux parfum du risotto, ils firent silence, comme par un accord tacite.

Ils se remirent à causer en attendant les loups. A attaquer le sujet des Griffo, ce fut Beatrice.

— Ces deux personnes qui ont disparu…

— Excusez-moi. Si vous étiez à Palerme, comment avez-vous fait pour savoir que…

— Hier soir, le directeur de la Sirio m'a téléphoné. Il m'a dit que vous aviez convoqué tous les clients du voyage organisé.

— D'accord, continuez.

— Je suis forcée d'emporter avec moi un échantillonnage. Si le car est complet, l'échantillonnage, qui est encombrant, deux gros cartons, je le mets dans le coffre à bagages. Si au contraire l'autocar n'est pas complet, je le mets au dernier rang, celui à cinq places. Les cartons, je les installe aux deux places les plus éloignées de la porte, pour ne pas gêner la sortie ou la descente des passagers. Eh bien, les Griffo sont allés s'asseoir juste au dernier rang.

— Lesquelles des trois places restantes occupaient-ils ?

— Eh bien, lui était sur le siège central avec le couloir en face. Sa femme était à côté de lui. La place restée libre était la plus près de la porte. Moi, quand je suis arrivée vers sept heures et demie…

— Avec l'échantillonnage ?

— Non, l'échantillonnage avait été installé dans l'autocar le soir précédent, par un employé de la Sirio. Le même employé vient le récupérer quand on rentre à Vigàta.

— Poursuivez.

— Quand je les ai vus assis juste là où se trouvaient les cartons, je leur fis remarquer qu'ils pouvaient choisir de meilleures places, vu que le car était encore presque vide et qu'il n'y avait pas de réservations. J'expliquai que, devant montrer la marchandise, j'allais les déranger par mes allées et venues. Elle, elle ne m'a même pas regardée, elle avait le regard fixé droit devant, je la crus sourde. Lui, en revanche, il avait l'air inquiet, non, inquiet non, mais tendu, il m'a répondu que je pouvais faire ce que je voulais, eux ils préféraient rester là. A mi-chemin, il fallait que je commence mon travail, je l'ai fait lever. Et vous savez ce qu'il a fait ? Du derrière, il a heurté celui de sa femme qui s'est déplacée sur le siège libre à côté de la porte. Et lui il s'est glissé sur le côté. Comme ça j'ai pu prendre ma poêle. Mais dès que je me suis mise dos au chauffeur, le micro dans une main et la poêle dans l'autre, les Griffo sont retournés aux places d'avant.

Elle sourit.

— Quand je suis comme ça, je me sens complètement ridicule. Et pourtant… Il y a un des voyageurs, quasi un habitué, le chevalier Mistretta, qui a obligé sa femme à acheter trois batteries complètes. Mais vous vous rendez compte ? Il est amoureux de moi, je ne vous dis pas les regards que me lance sa femme ! Bon, à chaque acquéreur, nous offrons une montre parlante, de celles que les *vù cumprà*[1] vendent pour dix mille lires. Mais à tout le monde, nous offrons un stylo-bille avec écrit dessus le nom de la société. Les Griffo n'en ont pas voulu.

Arrivèrent les loups et à nouveau se fit le silence.

— Vous voulez des fruits ? Un café ? demanda Montalbano alors qu'hélas, des loups, il ne restait que les arêtes et les têtes.

— Non, dit Beatrice. J'aime garder le goût de la mer.

Pas seulement sœur, mais sœur jumelle.

— Bref, commissaire, pendant tout le temps que dura la vente, par moments je les regardais, les Griffo. Figés sauf que lui, parfois, il se retournait pour regarder en arrière à travers la lunette. Comme s'il craignait qu'une voiture suive le car.

— Ou au contraire, dit le commissaire, pour être sûr qu'une voiture continuait à suivre l'autocar.

— Peut-être. Ils n'ont pas mangé avec nous à Tindari. Quand nous sommes descendus, ils étaient encore assis. Nous sommes remontés et eux ils étaient toujours là. Pendant le voyage de retour, ils ne sont même pas descendus à l'arrêt pour le café au lait. Mais d'une chose, je suis sûre : c'est lui, M. Griffo, qui a réclamé l'arrêt au bar-trattoria Paradiso. C'était peu avant d'arriver et le chauffeur voulait continuer. Lui, il a protesté. Et alors presque tout le monde est descendu. Je suis restée à bord. Puis le chauffeur a klaxonné, les passagers sont montés et l'autocar est reparti.

— Vous êtes sûre que même les Griffo sont montés ?

— Ça, je ne peux pas vous l'assurer. Pendant l'arrêt,

---

1. *Vù cumprà* : littéralement « vous achète », comme disent les vendeurs noirs à la sauvette. *(N.d.T.)*

moi je me suis mise à écouter de la musique au walk-man, j'avais les écouteurs. Je gardais les yeux fermés. Bref, je me suis piqué un petit roupillon. En fait, j'ai rouvert les yeux à Vigàta alors qu'une bonne partie des passagers était déjà descendue.

— Et donc il est possible que les Griffo aient déjà été en train de se diriger à pied vers chez eux.

Beatrice rouvrit la bouche comme pour dire quelque chose, elle la referma.

— Allez-y, dit le commissaire, quoi que ce soit, même ce qui à vous peut vous paraître stupide, à moi ça peut m'être utile.

— Voilà, quand l'employé de la société est monté pour retirer l'échantillonnage, moi je l'ai aidé. En tirant vers moi le premier carton, je posai la main à la place où peu avant, aurait dû être assis M. Griffo. Elle était froide. D'après moi, ces deux personnes ne sont pas remontées dans le car après l'arrêt au bar Paradiso.

Six

Calogero apporta l'addition, Montalbano paya, Beatrice se leva, le commissaire aussi, certes avec un soupçon de regret, la jeune fille était une pure et simple merveille de Dieu, mais il n'y avait rien à faire, la chose s'arrêtait là.

— Je vous accompagne, dit Montalbano.

— Je suis en voiture, répliqua Beatrice.

A cet instant précis, Mimì Augello fit son apparition. Il vit Montalbano, se dirigea vers lui et tout à coup se figea les yeux écarquillés, on aurait dit qu'était passé cet ange des croyances populaires qui dit « *ammè* », amen, et tout le monde reste comme il est. Il avait visiblement remarqué Beatrice. Puis, brusquement, il tourna les talons et s'apprêta à repartir.

— Tu me cherchais, l'arrêta le commissaire.

— Oui.

— Et alors pourquoi tu t'en allais ?

— Je ne voulais pas déranger.

— Mais comment ça, déranger, Mimì ! Viens. Mademoiselle, je vous présente mon adjoint, le *dottor* Augello. Mademoiselle Beatrice Dileo qui a trouvé le moyen, dimanche dernier, de voyager avec les Griffo et qui m'a dit des choses intéressantes.

Mimì savait juste que les Griffo avaient disparu, il ne savait rien de l'enquête, mais il ne parvenait pas à ouvrir la bouche, les yeux fixés sur la jeune fille.

Ce fut alors que le Diable, celui avec le D majuscule, se matérialisa à côté de Montalbano. Invisible aux yeux de tous, sauf du commissaire, il endossait le costume traditionnel, peau velue, sabot de bouc, queue, corne courte. Le commissaire en sentit l'haleine incandescente et sulfureuse lui brûler l'oreille gauche.

— Fais-les se connaître mieux, ordonna le Diable.

Et Montalbano s'inclina devant Sa Volonté.

— Vous avez encore cinq minutes ? demanda-t-il avec un sourire à Beatrice.

— Oui. Je suis libre tout l'après-midi.

— Et toi, Mimì, tu as mangé ?

— Pas… pas… pas encore.

— Alors assieds-toi à ma place et commande, pendant que mademoiselle te raconte ce qu'elle m'a dit au sujet des Griffo. Moi, malheureusement, j'ai une affaire urgente à régler. On se voit plus tard au bureau, Mimì. Et merci encore, mademoiselle Dileo.

Beatrice s'assit à nouveau, Mimì se laissa tomber sur sa chaise, raide qu'on aurait dit qu'il s'était collé une armure médiévale. Il n'arrivait pas encore à réaliser comment lui était tombée cette grâce de Dieu, mais l'atout qui avait emporté le morceau avait été l'insolite gentillesse de Montalbano. Lequel s'en alla de la trattoria en chantonnant. Il avait semé une graine. Si le terrain était fertile (et sur la fertilité du terrain de Mimì, il n'avait aucun doute), cette graine allait prendre. Et alors adieu Rebecca, ou Dieu sait qui, adieu la demande de transfert.

— Excusez-moi, commissaire, mais vous ne trouvez

pas que vous avez été un peu salaud ? demanda, indignée, la voix de la conscience de Montalbano à son propriétaire.

— Hou, quel tracassin ! fut la réponse.

Devant le café Caviglione, se tenait son propriétaire, Arturo, qui, appuyé au montant de la porte, se prenait le soleil. Il était habillé comme un gueux, veste et pantalon usés et tachés, malgré les quatre-cinq milliards qu'il s'était faits en prêtant de l'argent à taux d'usure. Pingre, il venait d'une famille de pingres légendaires. Une fois, il avait fait voir au commissaire un panneau, jaune et conchié par les mouches, que son grand-père, au début du siècle, avait exposé dans le troquet : « Celui qui s'assoit à table doit obligatoirement consommer au moins un verre d'eau. Un verre d'eau coûte deux centimes. »

— Commissaire, vous prenez un café ?

Ils entrèrent.

— Un café pour le commissaire ! commanda Arturo au serveur tout en mettant dans la caisse les sous que Montalbano avait sortis de sa poche.

Le jour où Arturo se déciderait à filer gratis un quart de miette de brioche, à tous les coups, il se produirait un cataclysme à faire bicher Nostradamus.

— Qu'est-ce qu'il y a, Artù ?

— Je voulais vous parler de l'histoire des Griffo. Je les connais parce que l'été, le dimanche soir, ils s'assoient à une table, toujours seuls, et commandent deux glaces : une cassate pour lui et une noisette avec de la crème pour elle. Moi, ce matin-là, je les ai vus.

— Quel matin ?

— Le matin où ils sont partis pour Tindari. Les autocars ont leur tête de ligne un peu plus loin, sur la place. Moi je rouvre à six heures, à quelques minutes près. Eh ben, les Griffo étaient déjà là dehors, devant le rideau baissé. Et le car devait partir à sept heures, vous imaginez !

— Ont-ils bu ou mangé quelque chose ?

— Une brioche chaude par tête qu'on me porta de la boulangerie une dizaine de minutes plus tard. L'autocar arriva à six heures et demie. Le chauffeur, qui s'appelle Filippo, entra et commanda un café. Alors M. Griffo s'approcha de lui et lui demanda s'ils pouvaient s'installer à bord. Filippo arépondit que oui et eux ils sortirent sans même dire bonjour. De quoi ils avaient peur, de rater le car ?

— C'est tout ?

— Beh, oui.

— Ecoute, Arturo, toi, ce jeune homme qu'on a tué, tu le connaissais ?

— Nenè Sanfilippo ? Jusqu'à y a deux ans, il venait régulièrement jouer au billard. Après, il se montrait rarement. Seulement de nuit.

— Comment, de nuit ?

— Commissà, moi je ferme à une heure. Lui quelquefois il arrivait et s'achetait une bouteille de whisky, de gin, des trucs comme ça. Il venait avec sa voiture et presque toujours, dans la voiture, il y avait une fille.

— Vous avez pu en reconnaître quelques-unes ?

— Oh que non. Peut-être qu'il les amenait ici de Palerme, de Montelusa, c'est ses foutus oignons, d'où il les sortait.

Arrivé devant la porte du commissariat, il ne se sentit pas d'entrer. Sur sa table l'attendait une pile chancelante de papiers à signer et à cette seule pinsée, le bras droit se mit à lui faire mal. Il s'assura qu'il avait dans sa poche suffisamment de cigarettes, remonta en voiture et partit en direction de Montelusa. Juste à mi-chemin entre les deux bourgs, serpentait un chemin de campagne, caché derrière un panneau publicitaire, qui menait à une baraque rustique en ruine ; à côté, il y avait un énorme olivier sarrasin qui avait sûrement sa bonne paire de siècles. On aurait dit un faux arbre de théâtre, né de l'imagination d'un Gustave Doré, une illustration possible de l'*Enfer* de Dante. Les plus basses branches rampaient et se contorsionnaient à ras de terre, lesquelles branches, malgré leurs tentatives, ne parvenaient pas à se dresser vers le ciel et qui, à un certain moment de leur avancée, se la repensaient et décidaient de retourner en arrière vers le tronc en faisant une espèce de courbe en coude ou, dans certains cas, un nœud pur et simple. Peu après, pourtant, elles changeaient d'idée et repartaient en arrière, comme effrayées à la vue du tronc puissant, mais perforé, brûlé, ridé par les années. Et, en revenant en arrière, les branches suivaient une direction différente de la précédente. Elles étaient totalement semblables à des nœuds coulants, des pythons, des boas, des anacondas brusquement métamorphosés en branches d'olivier. Elles semblaient se désespérer, se damner à cause de cette sorcellerie qui les avait congelées, « confites », aurait dit Montale, en une éternité de fuite impossible et tragique. Les branches moyennes, parvenues plus ou moins à un mètre de longueur, étaient, aussi sec, en proie au doute de savoir si elles devaient se diriger vers le haut ou pointer vers la terre pour se rejoindre avec les racines.

Montalbano, quand il n'avait pas envie d'air de la mer, remplaçait la promenade le long du môle de l'est par une visite à l'arbre aux olives. Assis à cheval sur une des branches basses, il s'allumait une cigarette et commençait à réfléchir à l'affaire à résoudre.

Il avait découvert que, de quelque mystérieuse façon, ces entrelacs, ces enveloppés, ces contorsions, ces superpositions, bref, ce labyrinthe de la ramure, reflétait de manière quasi mimétique ce qui se passait dans sa tête, l'entrecroisement des hypothèses, le chevauchement des raisonnements. Et si une supposition pouvait à première vue lui sembler trop hardie, trop hasardeuse, la vue d'une branche qui dessinait un parcours encore plus aventureux que sa pinsée le rassurait, le faisait aller de l'avant.

Caché au milieu des feuilles vert et argent, il était capable de rester des heures sans broncher ; immobilité interrompue de temps à autre par les mouvements indispensables pour s'allumer une cigarette, qu'il fumait sans jamais la retirer de sa bouche, ou pour éteindre soigneusement le mégot en l'écrasant sur le talon de sa chaussure. Il restait si longtemps immobile que les fourmis grimpaient tranquillement sur son corps, se glissaient dans ses cheveux, lui passaient sur les mains, sur le front. Une fois descendu de la branche, il devait secouer attentivement ses vêtements et alors, avec les fourmis, il tombait même une petite araignée, une coccinelle porte-bonheur.

Installé sur sa branche, il se posa une question fondamentale sur le chemin à faire prendre à l'enquête : y avait-il un lien entre la disparition des deux petits vieux et l'assassinat du jeune homme ?

Levant les yeux et la tête pour mieux faire couler la première bouffée de fumée, le commissaire s'aperçut qu'un bras de l'olivier suivait une route impossible, des angles, des courbes serrées, des bonds en avant et en arrière, à un endroit, il ressemblait carrément à un ancien radiateur à trois éléments.

— Non, tu m'auras pas, lui murmura Montalbano en repoussant l'invite.

Il n'était pas encore besoin d'acrobaties : pour l'heure, suffisaient les faits, seulement les faits.

Tous les locataires de l'immeuble du 44, via Cavour, concierge comprise, s'accordaient à déclarer n'avoir jamais vus 'nsemble le couple de vieux et le jeune homme. Pas même lors d'une rencontre de hasard, comme cela peut se produire en attendant l'arrivée de l'ascenseur. Ils avaient des horaires distincts, des rythmes de vie complètement différents. Du reste, en y réfléchissant bien, quel satané rapport pouvait-il y avoir entre deux vieux ours, pas sociables, ayant même mauvais caractère, qui ne se liaient à âme qui vive, et un jeune de vingt ans, avec trop d'argent à dépenser en poche, qui amenait chez lui une femme différente une nuit sur deux ?

Le mieux était de garder les deux choses, tout au moins provisoirement, séparées. De considérer le fait que les deux disparus et l'homme abattu habitaient le même immeuble comme une coïncidence pure et simple. Pour l'instant. Du reste, même sans le dire ouvertement, n'en avait-il pas déjà décidé ainsi ? A Mimì Augello, il lui avait donné à étudier les papiers de Nenè Sanfilippo et donc, implicitement, il l'avait chargé de l'enquête sur l'assassinat. C'est à lui qu'il revenait de s'occuper des Griffo.

Alfonso et Margherita Griffo, capables de rester enfermés chez eux trois ou quatre jours d'affilée, comme assiégés par la solitude, sans donner le moindre signe de leur présence à l'intérieur de l'appartement, pas même un éternuement ou une toux, rien, presque comme s'ils faisaient les répétitions générales de leur disparition ultérieure. Alfonso et Margherita Griffo qui, de mémoire de leur fils, n'avaient bronché qu'une seule fois de Vigàta pour aller à Messine. Alfonso et Margherita Griffo, un beau jour, décident à l'improviste d'aller faire une excursion à Tindari. Ils sont fidèles de la Madone ? Mais puisqu'ils n'allaient même pas à l'église !

Et qu'est-ce qu'ils y tenaient à cette excursion !

D'après ce que lui avait dit Arturo Caviglione, ils s'étaient aprésentés une heure avant le départ et ils avaient été les premiers à monter dans l'autocar encore complètement vide. Et, bien qu'ils soient les seuls passagers, avec une cinquantaine de places à leur disposition, ils avaient été se choisir les sièges probablement les plus inconfortables, où se trouvaient déjà les deux gros cartons de l'échantillonnage de Beatrice Dileo. Avaient-ils fait ce choix par manque d'expérience, parce qu'ils ne savaient pas qu'à ce dernier rang, les virages se sentent plus et rendent nauséeux ? De toute façon, l'hypothèse qu'ils l'aient décidé pour être plus isolés, pour ne pas être forcés de parler avec leurs compagnons de voyage, ne tenait pas. Si quelqu'un veut rester coi, il y arrive, même au milieu d'une centaine de personnes. Alors pourquoi justement ce dernier rang ?

Une réponse pouvait se trouver dans ce que lui avait raconté Beatrice. La jeune fille avait remarqué qu'Alfonso Griffo se tournait de temps en temps pour regarder en arrière à travers la lunette arrière. De la position qu'il occupait, il pouvait observer les voitures qui étaient derrière. Mais il pouvait à son tour être vu de dehors, par exemple d'une auto qui suivait le car. Regarder et être regardé : ceci n'aurait pas été possible s'ils avaient été assis à n'importe quelle autre place.

Arrivés à Tindari, les Griffo n'avaient pas bronché. De l'avis de Beatrice, ils n'étaient pas descendus de l'autocar, ils ne s'étaient pas mêlés aux autres, on ne les avait pas vus se promener. Quel sens avait alors cette excursion ? Pourquoi y tenaient-ils tant ?

C'était encore Beatrice qui lui avait révélé une chose fondamentale. A savoir que c'était Alfonso Griffo qui avait fait effectuer le dernier arrêt à peine une demi-heure avant l'arrivée à Vigàta. Il se pouvait qu'il ait réellement eu un besoin urgent, mais il pouvait y avoir une explication radicalement différente et bien plus inquiétante.

Peut-être qu'aux Griffo, jusqu'à la veille, il leur était même pas venu à l'antichambre de la cervelle de participer à cette excursion. Ils avaient en tête de passer un dimanche comme ils en avaient déjà passé des centaines. Sauf s'il arrive quelque chose qui les force, contre leur volonté, à faire ce voyage. Pas un circuit quelconque, mais celui-ci. Ils avaient reçu une espèce d'ordre péremptoire. Et celui qui avait donné cet ordre, quel pouvoir détenait-il sur les deux vieillards ?

« Histoire de lui donner une consistance, se dit Montalbano, mettons que ce soit le médecin qui leur a ordonné. »

Mais il n'avait pas la moindre envie de galéjer.

Et il s'agit d'un médecin tellement consciencieux qu'avec sa voiture, il se met à suivre le car, tant pendant le voyage d'aller qu'au retour, de manière à vérifier que ses patients sont toujours à leur place. Alors qu'il fait déjà nuit, et qu'ils sont bientôt arrivés à Vigàta, le médecin fait des appels de phares d'une façon particulière. C'est un signal convenu. Alfonso Griffo prie le chauffeur de s'arrêter. Et au bar Paradiso, on perd la trace du couple. Peut-être le médecin consciencieux a-t-il invité les vieillards à monter dans sa voiture, peut-être qu'il lui tardait de prendre leur tension.

A ce moment-là, Montalbano décida que l'heure était arrivée d'arrêter de jouer à moi-Tarzan-toi-Jane et de rentrer, façon de parler, à la civilisation. Tandis qu'il secouait les fourmis de sa veste, il se posa la dernière question : de quelle maladie secrète souffraient les

Griffo pour qu'ait dû intervenir un médecin traitant aussi consciencieux ?

Un peu avant la descente qui menait à Vigàta, il y avait une cabine téléphonique. Elle fonctionnait, miraculeusement. M. Malaspina, propriétaire de l'agence d'autocars, mit cinq petites minutes à répondre au commissaire.

Non, M. et Mme Griffo n'avaient jamais fait auparavant ce genre de voyages.

Oui, ils avaient réservé à la dernière minute, précisément le samedi à treize heures, l'ultime limite pour les inscriptions.

Oui, ils avaient payé comptant.

Non, à faire la réservation, ça n'avait été ni monsieur ni madame. Totò Bellavia, l'employé du guichet, pouvait y mettre la main au feu qu'à faire l'inscription et à payer, ç'avait été un homme d'une quarantaine d'années, distingué, qui s'était présenté comme neveu des Griffo.

Comment ça se faisait qu'il soit aussi préparé à ces questions ? Simple, toute la ville parlait et déparlait de la disparition des Griffo et lui s'était piqué de curiosité et il s'était renseigné.

— *Dottori*, dans la pièce de Fazio, il y aurait le fils des petits vieux.

— Il y a ou il y aurait ?

Catarella ne se démonta pas.

— Toutes les deux choses, *dottori*.

— Fais-le entrer.

Davide Griffo apparut hagard, la barbe négligée, les yeux rouges, la veste complètement froissée.

— Je rentre à Messine, commissaire. De toute façon, qu'est-ce que je fais ici ? Je n'aréussi pas à dormir la nuit, toujours avec cette pinsée fixe… M. Fazio m'a dit que vous n'avez pas encore réussi à rien y comprendre.

— Malheureusement, il en est bien ainsi. Mais soyez sûr que dès qu'il y aura du nouveau, je vous le ferai savoir aussitôt. Nous avons votre adresse ?

— Oui, je l'ai laissée.

— Une question, avant que vous ne partiez. Vous avez des cousins ?

— Oui, un.

— Quel âge a-t-il ?

— Une quarantaine d'années.

Le commissaire dressa l'oreille.

— Où habite-t-il ?

— A Sydney. Il besogne là-bas. Ça fait trois ans qu'il ne vient pas voir son père.

— Comment faites-vous pour le savoir ?

— Parce que chaque fois qu'il vient, nous faisons en sorte de nous voir.

— Pouvez-vous laisser l'adresse et le numéro de téléphone de votre cousin à Fazio ?

— Bien sûr. Mais pourquoi les voulez-vous ? Vous pensez que…

— Je ne veux rien négliger.

— Mais écoutez, *dottore*, la seule pinsée que mon cousin puisse être un tant soit peu mêlé à la disparition est une ineptie… excusez-moi.

Montalbano l'arrêta d'un geste.

— Autre chose. Vous savez que, vers chez nous, on appelle cousin, oncle, neveu, quelqu'un qui n'a avec nous aucun lien de sang, mais comme ça, par sympathie, par affection… Réfléchissez. Y a-t-il quelqu'un que vos parents avaient l'habitude d'appeler leur neveu ?

— Commissaire, on voit que vous ne connaissez pas mon père et ma mère ! Ceux-là, ils ont un caractère que

100

Dieu nous en préserve et protège ! Oh que non, il me paraît impossible qu'ils appellent neveu quelqu'un qui ne l'était pas.

— Monsieur Griffo, vous devez m'excuser si je vous fais répéter des choses que je vous m'avez peut-être déjà dites, mais, vous comprenez, c'est autant dans votre intérêt que dans le mien. Vous êtes absolument certain que vos parents ne vous ont rien dit de l'excursion qu'ils avaient l'intention de faire ?

— Rien, commissaire, absolument rien. Nous n'avons pas l'habitude de nous écrire, nous nous parlons par téléphone. C'était moi qui appelais, le jeudi et le dimanche, toujours entre neuf heures et dix heures du soir. Jeudi, la dernière fois que j'ai parlé avec eux, ils n'ont pas évoqué leur départ pour Tindari. Au contraire, maman, en me disant au revoir, me dit : « On se parle dimanche, comme d'habitude. » S'ils avaient dans l'idée une telle excursion, ils m'auraient prévenu de ne pas m'inquiéter si je ne les trouvais pas chez eux, ils m'auraient dit de rappeler un peu plus tard, au cas où le car aurait du retard. Ça ne vous paraît pas logique ?

— Certes.

— Au contraire, étant donné qu'ils ne m'ont rien dit, moi je les appelai dimanche à neuf heures et quart et personne ne m'a répondit. Et commença le calvaire.

— L'autocar arriva à Vigàta vers onze heures du soir.

— Et moi je téléphonai et retéléphonai jusqu'à six heures du matin.

— Monsieur Griffo, il faut, hélas, faire toutes les hypothèses. Même celles qu'on répugne à formuler. Votre père avait des ennemis ?

— Commissaire, j'ai un nœud dans la gorge qui m'empêche de rire. Mon père est un brave homme, même s'il a mauvais caractère. Comme maman. Papa était à la ritraite depuis dix ans. Jamais il ne m'a parlé de personnes qui lui voulaient du mal.

— Il était riche ?

— Qui ? Mon père ? Ils vivaient sur sa ritraite. Il avait réussi, avec la liquidation, à acheter l'appartement où ils habitaient.

Il baissa les yeux, désolé.

— Je n'aréussis pas à trouver de raison pour laquelle mes parents auraient voulu disparaître ou on les aurait obligés à disparaître. Je suis même allé parler à leur médecin. Il m'a dit qu'ils allaient bien, pour leur âge. Et qu'ils ne souffraient pas d'artériosclérose.

— Parfois, à un certain âge, dit Montalbano, on peut facilement céder aux suggestions, avoir de brusques convictions…

— Je ne comprends pas.

— Bah, que sais-je, quelque connaissance peut leur avoir parlé des miracles de la Madone noire de Tindari…

— Et quel besoin avaient-ils de miracles ? Et puis, vous savez, en fait des choses de Dieu, ils étaient tièdes.

Il était en train de se lever pour aller à son rendez-vous avec Balduccio Sinagra quand, dans le bureau, entra Fazio.

— *Dottore*, excusez-moi, est-ce que par hasard vous avez des nouvelles du *dottor* Augello ?

— On s'est vus à l'heure de manger. Il a dit qu'il allait passer. Pourquoi ?

— Parce qu'on le cherche de la Questure de Pavie.

Sur le moment, Montalbano ne fit pas le rapport.

— De Pavie ? Et qui était-ce ?

— Une femme c'était, mais elle ne dit pas comment elle s'appelait.

102

Rebecca ! Probablement dans l'angoisse pour son Mimì adoré.

— Cette femme de Pavie n'avait pas le numéro de son portable ?

— Oh que si, elle l'a. Mais elle dit qu'il a l'air débranché, éteint. Elle a dit qu'elle le cherche depuis des heures, depuis le déjeuner. Si elle rappelle, qu'est-ce que je lui dis ?

— A moi, tu le demandes ?

Mentalement, tout en répondant à Fazio avec l'air d'être agacé, il se sentait pris de joie. Tu veux voir que la graine prenait ?

— Ecoute, Fazio, ne t'inquiète pas pour le *dottor* Augello. Tu verras que, tôt ou tard, il va se radiner. Je voulais te dire que je m'en vais.

— Vous allez à Marinella ?

— Fazio, moi je n'ai pas à te rendre des comptes sur où je vais et où je vais pas.

— Hou, et qu'est-ce que je vous demandai ? Qu'est-ce qui vous prend, de l'ombrage ? Une simple question innocente je vous posai. Excusez-moi si je me suis permis.

— Ecoute, toi excuse-moi, je suis un peu nirveux.

— Je vois.

— Ne répète à personne ce que je te dis. Je vais à un rendez-vous avec Balduccio Sinagra.

Fazio pâlit, il le regarda les yeux écarquillés.

— Vous galéjez ?

— Non.

— *Dottore*, celui-là, une bête féroce c'est !

— Je sais.

— *Dottore*, vous pouvez vous mettre en colère tant que vous voulez, mais moi je vous le dis pareil : d'après moi, à ce rendez-vous, vous ne devez pas y aller.

— Ecoute-moi bien. M. Balduccio Sinagra à l'heure actuelle est un citoyen libre.

— Et vive la liberté ! Ce type, il s'est fait vingt ans de prison et il a au minimum une trentaine de meurtres sur la conscience !

— Que nous n'avons pas encore réussi à prouver.

— Preuves ou pas preuves, toujours une merde d'homme il reste.

— D'accord. Mais tu l'as oublié que notre métier c'est justement d'avoir affaire à la merde ?

— *Dottore*, si réellement vous voulez y aller, moi je viens avec vous.

— Toi d'ici, tu en bronches pas. Et ne me fais pas dire que c'est un ordre parce que, moi, je me fâche à mort quand vous m'obligez à dire une chose pareille.

Sept

Don Balduccio Sinagra habitait, en même temps que sa nombreuse famille, dans une très grande maison de campagne posée tout au sommet d'une colline appelée depuis des temps immémoriaux Ciuccàfa, à mi-chemin entre Vigàta et Montereale.

La colline Ciuccàfa se distinguait par deux détails. Le premier consistait dans le fait de se présenter complètement chauve et privée du plus minime brin d'herbe verte. Jamais sur cette terre un arbre avait réussi à pousser ni même une touffe de sorgho à prendre, ou une souche de câprier, un buisson de prunellier. Il y avait un bouquet d'arbres qui entouraient la maison, mais on les avait replantés déjà grands sur ordre de don Balduccio pour avoir un peu de fraîcheur. Et pour éviter qu'ils sèchent et meurent, on avait fait venir des camionnettes et des camionnettes de terre spéciale. La deuxième particularité était que, essession faite de la maison des Sinagra, on voyait aucune autre habitation, que ce soit des maisonnettes ou des villas, de n'importe quel côté qu'on regarde la colline. On remarquait seulement la montée serpentine de la large route asphaltée, longue de trois kilomètres, que don Balduccio s'était fait faire, disait-il, sur ses sous. Il n'y avait pas d'autre maison non pas parce que les Sinagra s'étaient acheté toute la colline, mais pour d'autres et multiples raisons.

Et bien que les terrains des Ciuccàfa eussent été déclarés constructibles par le nouveau plan d'occupation des sols, les propriétaires, Me Sidoti et le marquis Lauricella, quoique tirant l'un et l'autre le diable par la queue, ne s'aventuraient pas à les lotir et à les vendre, pour ne pas faire du tort à don Balduccio, lequel, les ayant convoqués, leur avait donné à entendre, à grand renfort de proverbes, d'anecdotes et de métaphores, que le voisinage d'étrangers lui procurait un insupportable dérangement. Pour éviter de périlleux malentendus, Me Sidoti, propriétaire du terrain sur lequel avait été construite la route, avait fermement refusé de se faire indemniser l'expropriation involontaire. Les mauvaises langues murmuraient même, au pays, que les deux propriétaires s'étaient mis d'accord pour partager leurs pertes en deux : l'avocat avait mis le terrain, le marquis avait gracieusement offert la route à don Balduccio, se collant ainsi les coûts des travaux. Les mauvaises langues disaient aussi que, quand le mauvais temps entraînait quelque gonflement de l'asphalte ou quelque déplacement de terrain sur la route, don Balduccio s'en plaignait auprès du marquis, lequel, en un tournemain, et toujours de sa propre poche, pourvoyait à la remettre lisse comme une table de billard.

Depuis trois ans, ça ne marchait pas aussi bien qu'avant, ni pour les Sinagra, ni pour les Cuffaro, les deux familles qui se battaient pour le contrôle de la province.

Masino Sinagra, fils aîné sexagénaire de don Balduccio, avait été enfin arrêté et envoyé au trou avec une telle quantité d'accusations sur le dos que, même si durant l'instruction des affaires, à Rome, ils avaient par hasard décidé l'abolition de la perpétuité, le législateur aurait dû faire une exception pour lui et la remettre en service seulement dans son cas. Japichinu, fils de Masino et petit-fils adoré de pépé Balduccio, jeune de trente ans, doté par la nature d'un visage si sympathique et honnête que les retraités lui auraient confié leurs économies, avait dû se mettre en cavale, poursuivi par un moulon de mandats d'arrêt. Abasourdi et inquiet devant cette offensive de la justice absolument inédite, après des décennies de sommeil languide, don Balduccio, qui s'était senti rajeunir de trente ans à la nouvelle de l'assassinat des deux plus valeureux magistrats de l'île, avait replongé d'un coup dans les affres de la vieillesse quand il avait su qu'à la tête du parquet était venu le pire des bonshommes possible : un Piémontais en odeur de communisme. Un jour, il avait vu, au cours du journal télévisé, ce magistrat agenouillé à l'église.

— Mais qu'esse y fait ? A la messe, il va ? avait-il demandé, abasourdi.

— Oh que si, religieux, il est, avait expliqué quelqu'un.

— Mais comment ça ? Les curés, ils lui ont rien appris ?

Le cadet de don Balduccio, 'Ngilino, avait complètement perdu les pédales, se mettant à parler une langue incompréhensible qu'il prétendait être de l'arabe. Et c'est en Arabe que de ce moment, il avait commencé de s'habiller, de sorte qu'au pays, on l'appelait « le cheikh ». Les deux fils du cheikh restaient plus à l'étranger qu'à Vigàta : Pino, dit « l'accordeur » en raison de l'habileté diplomatique qu'il savait montrer dans les moments difficiles, était constamment en voyage entre le Canada et les Etats-Unis ; Caluzzo, lui, passait huit mois de l'année à Bogota. Le fardeau de la conduite des affaires de la famille était retombé sur les épaules du patriarche, lequel se faisait donner un coup de main par le cousin Saro Magistrato. De ce dernier, on murmurait qu'après avoir tué un des Cuffaro, il s'était mangé son foie en brochette. D'autre part, chez les Cuffaro, on ne pouvait pas dire que ça tournait mieux. Un dimanche matin d'il y a deux ans, le plus qu'octogénaire chef de famille des Cuffaro, don Sisìno, était monté en voiture pour aller écouter la sainte messe, comme il avait immanquablement et dévotement l'habitude de faire. L'auto était conduite par son fils cadet, Birtino. A peine avait-il mis le contact, qu'une terrible déflagration avait brisé les vitres à cinq kilomètres à la ronde. Le comptable Arturo Stampinato, qui n'avait rien à voir avec l'histoire, s'étant pirsuadé qu'était arrivé un épouvantable tremblement de terre, s'était jeté du sixième étage et fracassé au sol. De don Sisìno, on n'avait retrouvé que le bras gauche et le pied droit, de Birtino seulement quelques os cramés.

Les Cuffaro ne s'en étaient pas pris aux Sinagra, comme tout le pays s'y attendait. Aussi bien les Cuffaro que les Sinagra savaient que cette meurtrière bombe, c'étaient des tierces personnes qui l'avaient mise dans la voiture, les membres d'une mafia émergente, des jeunots arrivistes, dépourvus de respect, prêts à tout, qui s'étaient mis en tête de baiser les deux familles historiques en prenant leur place. Et il y avait une explication. Si autrefois, la route de la drogue était assez large, au jour d'aujourd'hui, elle était devenue une autoroute à six voies. Il y fallait donc des forces jeunes, déterminées, qui avaient les bonnes mains, capables d'utiliser aussi bien la kalachnikov que l'ordinateur.

A tout cela pinsait le commissaire tandis qu'il se dirigeait vers Ciuccàfa. Et il lui revenait aussi à l'esprit une scène tragique vue à la télévision : un type de la commission antimafia qui, arrivé à Fela après le dixième meurtre dans la même simaine, se tirait spectaculairement les cheveux en demandant d'une voix cassée :

— Où est l'Etat ?

Et pendant ce temps, les quelques carabiniers, les quatre policiers, les deux gardes des finances, les trois substituts qui, à Fela, représentaient l'Etat, en risquant leur peau chaque jour, le regardaient, abasourdis. Le député antimafia souffrait évidemment d'un trou de mémoire : il avait oublié que, au moins en partie, l'Etat, c'était lui. Et que si les choses allaient comme elles allaient, c'était lui, avec les autres, qui les faisait aller ainsi.

Juste au pied de la colline, là où commençait la route asphaltée solitaire qui arrivait à la maison de don Balduccio, il y avait une maisonnette à un étage. Tandis que la voiture de Montalbano s'approchait, un bonhomme apparut à une des deux fenêtres. Il fixa l'auto et puis porta à son oreille un mobile. Qui de droit avait été averti.

Sur le côté de la route, se dressaient les poteaux de l'électricité et du téléphone, et tous les cinq cents mètres s'ouvrait une esplanade, une espèce d'aire de stationnement. Et, immanquablement, sur chaque esplanade, il y avait quelqu'un, tantôt en voiture, un doigt occupé à fouiller les profondeurs du nez, tantôt debout à compter les étourneaux qui volaient dans le ciel, ou bien qui faisait semblant de réparer sa motocyclette. Sentinelles. Des armes pas loin, qu'on ne voyait pas, mais le commissaire savait très bien qu'en cas de nécessité, elles seraient promptement apparues, soit de derrière un tas de pierres, soit de derrière un poteau.

Le grand portail de fer, unique ouverture dans un haut mur d'enceinte qui fermait la maison, était grand ouvert. Et devant se trouvait Me Guttadauro, un grand sourire en travers du visage, tout en courbettes.

— Continuez puis tournez tout de suite à droite, là, il y a le parking.

Sur l'aire, il y avait une dizaine de voitures de tous types, de luxe ou utilitaires. Montalbano s'arrêta, descendit et vit arriver Guttadauro essoufflé.

— Je ne pouvais douter de votre sensibilité, de votre compréhension, de votre intelligence ! Don Balduccio en sera heureux ! Venez, commissaire, je vous montre la route.

Le début de l'allée d'accès à la maison était marqué par deux gigantesques araucarias. Sous chacun d'eux, se trouvaient deux curieuses guérites, qui avaient l'air de maisonnettes pour enfants. Et de fait, collées sur leurs parois, on voyait des images adhésives de Superman, Batman, Hercule. Mais les guérites avaient aussi une porte et un fenestron. L'avocat intercepta le regard du commissaire.

— Ce sont les cabanes que don Balduccio a fait construire pour ses petits-fils. Ou plutôt, arrière-petits-fils. L'un s'appelle Balduccio comme lui et l'autre Tanino. Ils ont dix et huit ans. Don Balduccio est fou de ces minots.

— Excusez-moi, maître, demanda Montalbano en se faisant une tête d'angelot. Ce monsieur barbu qui, à l'instant, s'est mis au fenestron de la cabane de gauche, c'est Balduccio ou Tanino ?

Guttadauro, élégamment, passa outre.

Ils étaient maintenant arrivés devant la porte monumentale de l'entrée, en noyer noir clouté de cuivre qui rappelait vaguement un cercueil de type américain.

Dans un angle du jardin, tout en coquets parterres de roses, pampres et fleurs, égayé d'un bassin de poissons rouges (mais où est-ce qu'il trouvait l'eau, ce très grand cornard ?), se trouvait la robuste et vaste cage de fer dans laquelle quatre dobermans, très silencieux, évaluaient le poids et la consistance de l'invité dans le dessein manifeste de se l'avaler, vêtements compris. A l'évidence, la nuit, la cage était ouverte.

— Non, *dottore*, dit Guttadauro en voyant que Montalbano se dirigeait vers le cercueil qui faisait office de porte. Don Balduccio vous attend au rez-de-jardin.

Ils prirent par le côté gauche de la villa. Le rez-de-jardin était un vaste espace, ouvert sur trois côtés, qui avait comme plafond la terrasse du premier étage. A travers les six arcs élancés qui le délimitaient, à main droite, on jouissait d'un paysage magnifique. Des kilomètres de plages et de mer interrompus à l'horizon par la forme déchiquetée du cap Rossello. A main gauche, le panorama, au contraire, laissait beaucoup à désirer : une plaine de ciment, sans la moindre respiration de vert, dans laquelle se noyait, au loin, Vigàta.

Le rez-de-jardin comportait un divan, quatre fauteuils confortables, une petite table basse et large, et une dizaine de chaises appuyées au mur unique, qui devaient certainement servir aux réunions plénières.

Don Balduccio, pratiquement un squelette habillé, était assis sur le divan à deux places, un plaid sur les genoux, quoiqu'il ne fît nullement frais et que pas un souffle de vent ne se fît sentir. A côté de lui, assis dans un fauteuil, un curé en soutane, quinquagénaire rougeaud, se leva à l'apparition du commissaire.

— Voilà notre cher commissaire Montalbano ! s'exclama gaiement Guttadauro d'une voix aiguë.

— Vous voudrez bien m'excuser si je ne me lève pas, dit don Balduccio dans un filet de voix, mais mes jambes ne me tiennent plus.

111

Il ne fit pas mine de tendre la main au commissaire.

— Je vous présente don Sciaverio, Sciaverio Crucillà, qui a été et continue d'être le père spirituel de Japichinu, mon petit-fils adoré, calomnié et persécuté par les mouchards. Heureusement que c'est un jeune qui a beaucoup la foi, qui souffre les persécutions qu'on lui inflige en les offrant au *Signuri*, au Seigneur.

— La foi est une grande chose ! exhala le père Crucillà.

— Si elle t'endort pas, elle te repose, compléta Montalbano.

Don Balduccio, Guttadauro et le curé le fixèrent, interdits.

— Excusez-moi, dit don Crucillà. Mais il me semble que vous vous trompez. Le proverbe parle du lit et en fait, il dit : « *U lettu è 'na gran cosa / si non si dormi, s'arriposa.* » « Le lit est une grande chose, si on ne dort pas, on se repose. » N'est-ce pas ?

— Vous avez raison, je me suis trompé, admit le commissaire.

Il s'était vraiment trompé. Bon sang, qu'est-ce qui lui prenait de faire le malin en estropiant un proverbe pour paraphraser une phrase rebattue sur la religion opium du peuple ? Plût au ciel que la religion eût été de l'opium pour un criminel assassin comme le petit-fils de Balduccio Sinagra !

— Je ne vous dérange pas davantage, dit le curé.

Il s'inclina devant don Balduccio qui répondit d'un geste des deux mains, s'inclina devant le commissaire qui répondit d'un léger signe de tête, prit Guttadauro par le bras.

— Vous m'accompagnez, n'est-ce pas, maître ?

Ils s'étaient manifestement mis d'accord avant qu'il arrive pour le laisser face à face avec don Balduccio. L'avocat reviendrait plus tard, le temps nécessaire pour que son client, comme il aimait appeler celui qui, en réalité, était son patron, dise à Montalbano ce qu'il avait à lui dire sans témoins.

— Asseyez-vous, je vous en prie, dit le vieux en montrant le fauteuil qui avait été occupé par le père Crucillà.

Montalbano s'assit.

— Vous prenez quelque chose ? demanda don Balduccio en tendant une main vers le tableau de commande à trois boutons fixé sur le bras du divan.

— Non, merci.

Montalbano ne put se retenir de se demander à lui-même à quoi servaient les deux boutons restants. Si l'un faisait venir la femme de chambre, le deuxième, probablement, convoquait le tueur de service. Et le troisième ? Celui-là déclenchait peut-être une alarme générale capable de provoquer quelque chose de semblable à une Troisième Guerre mondiale.

— Dites-moi, par curiosité, commença le vieux en arrangeant le plaid sur ses jambes, si, tout à l'heure, quand vous êtes entré ici, je vous avais tendu la main, vous me l'auriez serrée ?

« Ah la bonne question, très grand fils de radasse ! » pinsa Montalbano.

Et aussitôt, il décida de lui donner la réponse qu'il sentait sincère.

— Non.

— Vous pouvez m'expliquer pourquoi ?

— Parce que nous deux, nous nous trouvons des deux côtés opposés de la barricade, monsieur Sinagra. Et pour l'instant, il n'y en a plus pour longtemps, mais l'armistice n'a pas encore été proclamé.

Le vieux se racla la gorge. Puis il se la racla une autre fois. Ce n'est qu'alors que le commissaire comprit que c'était un rire.

— Il n'y en a plus pour longtemps ?

— Déjà, des signaux, il y en a.

— Espérons. Passons aux choses sérieuses. Vous, *dottore*, vous êtes certainement curieux de savoir pourquoi j'ai voulu vous voir.

— Non.

— Vous, vous savez seulement dire non ?

— En toute sincérité, monsieur Sinagra, ce qui, pour moi, comme flic, m'intéresse sur vous, je le connais déjà. J'ai lu tous les dossiers qui vous concernent, même ceux qui vous concernaient quand je ne devais pas encore être né. En tant qu'homme, en fait, vous ne m'intéressez pas.

— Vous pouvez m'expliquer, alors, pourquoi vous êtes venu ?

— Parce que je ne me crois pas important au point de refuser de parler à qui me le demande.

— Bien dit, approuva le vieux.

— Monsieur Sinagra, si vous voulez me dire quelque chose, bien. Sinon…

Don Balduccio parut hésiter. Il pencha encore plus son cou de tortue vers Montalbano, le regarda fixement, forçant ses yeux mouillés par le glaucome.

— Quand j'étais petit, j'avais une vue à faire peur. Maintenant, je vois toujours plus de brouillard, *dottore*. Du brouillard qui devient toujours plus épais. Et je parle pas seulement de mes yeux malades.

Il soupira, s'appuya au dossier du divan comme s'il avait voulu s'y enfoncer.

— On devrait vivre juste ce qu'il faut. Quatre-vingt-dix ans, ça fait beaucoup trop. Et ça devient encore plus lourd quand on est obligé de reprendre les choses en main après avoir pinsé s'en être débarrassé. Et l'histoire de Japichinu me ronge, *dottore*. J'en dors pus de la prioccupation. En plus, il est malade de la poitrine.

Moi, je lui dis : rends-toi aux carabiniers, au moins, ils vont te soigner. Mais Japichinu est jeune, testard comme tous les jeunes. En tout cas, moi, j'ai dû recommencer à prendre la famille en main. Et c'est difficile, très. Passque entre-temps, le temps a passé et les hommes ont changé. Je ne comprends pus comment ils pensent, je ne comprends pas ce qui leur passe par la tête. Autrefois, pour faire un exemple, sur une affaire donnée, quand elle était compliquée, on réfléchissait. Ça pouvait durer, peut-être des jours et des jours, peut-être jusqu'à ce qu'on se parle mal, jusqu'à ce qu'on s'engueule, mais on raisonnait. Maintenant, les gens ne veulent pus raisonner, ils ne veulent pus perdre du temps.

— Et alors, qu'est-ce qu'ils font ?

— Ils tirent, *dottore*, ils tirent. Et pour tirer, ça, tout le monde est fort, même le pus couillon de la bande. Si vous, par exemple, là comme ça, vous sortez le revorber que vous avez dans la poche…

— Je ne l'ai pas. Je ne me promène pas armé.

— Vraiment ?!

L'abasourdissement de don Balduccio était sincère.

— Cher *dottore*, 'mprudence, c'est ! avec tous ces voyous qui traînent…

— Je sais. Mais je n'aime pas les armes.

— A moi non plus, elles me plaisaient pas. Reprenons la discussion. Si vous me pointez un revorber dessus et que vous me dites : « Balduccio, mets-toi à genoux », y aura pas à tortiller. Comme moi, je suis désarmé, je devrai me mettre à genoux. Ça se tient, non ? Mais ça, ça ne signifie pas que vous êtes un homme d'honneur, ça signifie seulement que vous êtes, pardonnez-moi, un con avec un revorber à la main.

— Et au contraire, comment agit un homme d'honneur ?

— Pas comment il agit, *dottore*, mais comment il

agissait. Vous venez chez moi désarmé et vous me parlez, vous m'exposez la quistion, vous m'expliquez le pour et le contre, et si moi, d'abord, je suis pas d'accord, le jour suivant vous revenez et on raisonne, on raisonne jusqu'à quand moi je me convainque que la seule chose à faire est de me mettre à genoux comme vous voulez vous, dans mon intérêt et dans l'intérêt de tout le monde.

Foudroyant, dans la mémoire du commissaire repassa un passage de la *Colonna Infame* de Manzoni, quand un malheureux est poussé au point de devoir prononcer la phrase : « Dites-moi ce que vous voulez que je dise », ou quelque chose de ce genre. Mais il n'avait pas envie de se mettre à discuter de Manzoni avec don Balduccio.

— Mais il me semble aussi que dans cette bonne vieille époque dont vous me parlez, on avait l'habitude de tuer les gens qui ne voulaient pas se mettre à genoux.

— Bien sûr ! s'exclama le vieux avec vivacité. Bien sûr ! Mais tuer un homme passqu'il s'était refusé d'obéir, vous le savez, vous, ce que ça signifiait ?

— Non.

— Ça signifiait une bataille perdue, ça signifiait que le courage de cet homme ne nous avait pas laissé d'autre issue. Je me suis fait comprendre ?

— Vous vous êtes très bien fait comprendre. Mais, vous voyez, monsieur Sinagra, moi, je ne suis pas venu ici pour m'entendre conter l'histoire de la mafia de votre point de vue !

— Mais vous, l'histoire du point de vue de la *liggi*, de la loi, vous la connaissez bien !

— Bien sûr. Mais vous êtes un perdant, ou presque, monsieur Sinagra. Et l'histoire, ce ne sont jamais ceux qui l'ont perdue, qui l'écrivent. En ce moment, peut-être qu'elle peut être mieux écrite par ceux qui ne raisonnent pas et qui tirent. Les vainqueurs du moment. Et maintenant, si vous permettez…

Il eut un mouvement pour se lever, le vieux l'arrêta d'un geste.

— Excusez-moi. Au nôtre, d'âge, avec toutes ces maladies, il nous vient aussi celle de la parlote. Commissaire, en deux mots : c'est possible que nous, on ait fait de grosses erreurs. De très grosses erreurs. Et je dis nous, parce que je parle pour le compte de feu Sisìno Cuffaro et des siens. Sisìno *ca mi fu nimicu finu a quannu è campatu*, qui fut mon ennemi aussi longtemps qu'il a vécu.

— Qu'est-ce que vous faites, vous commencez à vous repentir ?

— Oh que non, commissaire, je ne me repens pas devant la *liggi*. Devant le *u Signiruzzu*, devant le doux Seigneur, quand le moment sera venu, oui. Ce que je voulais vous dire, c'est ça : nous avons peut-être fait de très grosses erreurs, mais toujours, nous avons su qu'il y avait une ligne qui ne devait pas être franchie. Jamais. Parce qu'une fois cette ligne passée, il y a plus de différence entre un homme et une bête.

Il ferma les yeux, épuisé.

— J'ai compris, dit Montalbano.

— Vraiment compris ?

— Vraiment.

— Les deux choses ?

— Oui.

— Alors, ce que je voulais vous dire, je vous le dis, annonça le vieux en ouvrant les yeux. Si vous voulez y aller, je vous en prie. *Bonasira*.

— Bonsoir, répondit le commissaire en se levant.

Il retraversa la cour et suivit l'allée sans rencontrer personne. A la hauteur des deux cabanes sous les araucarias, il entendit des voix d'enfants. Dans l'une, il y avait un minot avec un pistolet à eau en main, un autre dans la cahute d'en face tenait une mitraillette spatiale. Visiblement, Guttadauro avait fait déloger le garde du corps barbu et l'avait promptement remplacé par l'arrière-petit-fils de don Balduccio, pour que le commissaire se débarrasse de ses mauvaises pinsées.

— Bang ! Bang ! faisait celui avec le pistolet.

— Ratatatà ! répondait l'autre avec la mitraillette.

Ils s'entraînaient pour quand ils seraient grands. Ou peut-être qu'il n'était pas même besoin qu'ils grandissent : juste la veille, à Fela, avait été arrêté ce que les journalistes avaient appelé un « baby-killer » qui venait tout juste d'avoir onze ans. Un de ces types qui s'étaient mis à parler (Montalbano ne se la sentait pas de les appeler des « repentis » et encore moins des « collaborateurs de justice »), avait révélé qu'il existait une espèce d'école publique où on enseignait aux minots à tirer et à tuer. Les arrière-petits-fils de don Balduccio, cette école, ils n'avaient aucune raison de la fréquenter. A la maison, ils apprenaient toutes les leçons particulières qu'ils voulaient. De Guttadauro, pas l'ombre. Au portail, se tenait un bonhomme à casquette qui la souleva sur son passage et revint tout de suite fermer. En sortant, le commissaire ne put que remarquer la propreté parfaite de la chaussée : pas un caillou, pas une miette sur l'asphalte. Peut-être que chaque matin, une équipe spéciale balayait la route comme s'il s'agissait du parquet d'une chambre. L'entretien devait coûter une fortune au marquis Lauricella. Sur les aires de stationnement, la situation n'avait pas changé bien que plus d'une heure fût passée. Un type continuait à observer les oiseaux dans le ciel, un autre fumait dans sa voiture, le troisième tentait toujours de réparer la motocyclette. Devant ce dernier, le commissaire fut pris par la tentation de la *sisiàta*, c'est-à-dire l'envie de se foutre de sa gueule. Arrivé à sa hauteur, il s'arrêta.

— Ça démarre pas ? demanda-t-il.

— Non, répondit l'homme en le regardant de travers.

— Vous voulez que j'y donne un coup d'œil, moi ?

— Non. Merci.

— Je peux vous emmener quelque part.

— Non ! cria l'homme, exaspéré.

Le commissaire repartit. Dans la maisonnette au pied de la route, le type muni du cellulaire se tenait à la fenêtre : il était certainement en train d'aviser que Montalbano repassait la frontière du royaume de don Balduccio.

La nuit tombait. Arrivé au pays, le commissaire se dirigea vers la via Cavour. Devant le 44, il s'arrêta, ouvrit le coffre, prit le trousseau de clés, sortit. La concierge n'était pas là et jusqu'à l'ascenseur, il ne rencontra personne. Il ouvrit la porte de l'appartement des Griffo, la referma à peine entré. Ça sentait le renfermé. Il alluma la lumière et se mit à la besogne. Il lui fallut une heure pour rassembler tous les papiers qu'il trouva, les glissant dans un sac à ordures qu'il avait pris à la cuisine. Il y avait aussi une boîte en fer-blanc des frères Lazzaroni remplie de tickets de caisse. Fouiner dans les papiers des Griffo, c'était quelque chose qu'il aurait dû faire depuis le début de l'enquête et qu'il avait en fait négligé. Il avait été trop distrait par d'autres pensées. Peut-être que, dans l'un de ces papiers, se cachait le secret de la maladie des Griffo, celle pour laquelle avait été obligé d'intervenir un médecin consciencieux.

Comme il éteignait la lumière de l'entrée, il se rappela Fazio, son inquiétude pour la rencontre avec don Balduccio. Le téléphone était dans la salle à manger.

— Allôllô ! Qui c'est qui est à la pareille ? Ici, le commissariat, c'est !

— Cataré, Montalbano, je suis. Fazio est là ?

— Je vous le passe tout de suitement.

— Fazio ? Je voulais te dire que je suis rentré sain et sauf.

— Je le savais, *dottore*.

— Qui te l'a dit ?

— Personne, *dottore*. Dès que vous êtes parti, moi je suis allé derrière vous. Je vous ai attendu dans les parages de la baraque où il y a des hommes de garde. Quand je vous ai vu revenir, moi aussi je suis rentré au commissariat.

— Il y a du neuf ?

— Oh que non, *dottore*. Essession faite de cette fille qui continue à téléphoner de Pavie en cherchant après le *dottor* Augello.

— Tôt ou tard, elle va le trouver. Ecoute une chose, tu veux savoir ce que nous nous sommes dit, avec la personne que tu sais ?

— Bien sûr, *dottore*. Je meurs de curiosité.

— Et moi, eh ben, je te le dis pas. Tu peux crever. Et tu sais pourquoi je te dis rien ? Parce que tu n'as pas obéi à mes ordres. Je t'avais dit de ne pas bouger du commissariat et en fait, tu m'as suivi. T'es content ?

Il éteignit la lumière et sortit de chez les Griffo, le sac sur le dos.

Huit

Il ouvrit le frigo et poussa un hennissement de pur bonheur. Adelina, la bonne, lui avait laissé deux maquereaux impériaux aux oignons, dîner avec lequel il passerait certainement la nuit entière à discuter, mais qui en valait la peine. Pour parer à toute éventualité, avant de commencer à manger, il voulut vérifier si en cuisine, il y avait le sachet de bicarbonate, béni soit-il. Assis sous la véranda, il s'empiffra consciencieusement ; il ne resta plus que les arêtes et les têtes des poissons, nettoyés au point de sembler des fossiles.

Puis, une fois la table débarrassée, il y déversa le contenu du sac à ordures plein des papiers pris chez les Griffo. Si ça se trouvait, une phrase, une ligne, une allusion pouvaient indiquer une raison quelconque de la disparition des deux vieillards. Ils avaient tout conservé, lettres et cartes de vœux, photographies, télégrammes, factures d'électricité et de téléphone, déclarations de revenus, reçus et tickets de caisse, dépliants publicitaires, billets d'autobus, actes de naissance, certificat de mariage, livret de retraite, carnet de santé, d'autres carnets périmés. Il y avait aussi la copie d'un « certificat d'existence en vie », abîme sans fond d'imbécillité bureaucratique. Qu'aurait élaboré Gogol, avec ses âmes mortes, devant un certificat de ce genre ? Franz Kafka, s'il lui était tombé entre les mains, aurait pu en tirer un de ses récits les plus angoissants. Et maintenant, avec « l'autocertification », la déclaration sur l'honneur, comment allait-on procéder ? Quelle était la « procédure », pour utiliser un des termes qu'aimaient tant les bureaux ? On écrivait sur un papier une phrase du type « Je, soussigné, Montalbano Salvo déclare exister », on le signait et on le remettait à l'employé idoine.

En tout cas, tous les papiers qui racontaient l'histoire de l'existence du couple Griffo se réduisaient à peu de chose, un petit kilo de feuilles et de feuillets. Montalbano en eut jusqu'à trois heures pour les regarder tous.

« Nuit perdue et c'est une fille », comme on disait. Il glissa de nouveau les papiers dans le sac et alla se coucher.

Contrairement à ce qu'il avait craint, les maquereaux se laissèrent docilement digérer sans le moindre coup de queue. Il put donc se réveiller à sept heures après un sommeil serein et suffisant. Il resta plus longtemps que d'habitude sous la douche, au point de répandre toute l'eau qu'il avait dans le cumulus. Là, il se repassa mot après mot, silence après silence, le dialogue entier qu'il avait eu avec don Balduccio. Il voulait être sûr d'avoir compris les deux messages que le vieux lui avait envoyés, avant de se lancer. A la fin, il fut convaincu de la justesse de son interprétation.

— Commissaire, je voulais vous dire que le *dottor* Augello a appelé il y a une demi-heure, il dit qu'il passe ici vers dix heures, annonça Fazio.

Et il rentra la tête dans les épaules, s'attendant, comme il était naturel et comme il était déjà arrivé, à une explosion de rage violente de la part de Montalbano, à la nouvelle que son adjoint, une fois encore, prenait ses aises. Mais cette fois, il resta calme, il sourit carrément.

— Hier soir, quand tu es rentré, la fille de Pavie a téléphoné ?

— Sûr ! Trois fois encore avant de perdre définitivement toute spirance.

Tandis qu'il parlait, Fazio déplaçait le poids de son corps tantôt sur un pied et tantôt sur l'autre comme on le fait quand on est pris d'un besoin pressant et qu'on est obligé de se retenir. Mais ce n'était pas ce besoin-là, c'était la curiosité qui le dévorait vivant. Mais il n'osait pas ouvrir la bouche et demander ce que Sinagra avait dit à son chef.

— Ferme la porte.

Fazio bondit, donna un tour de clé, revint en arrière, s'assit tout au bord de la chaise. Le buste en avant, les yeux brillants, on eût dit un chien affamé attendant que le patron lui jette un os. Il resta donc un peu déçu par la première question que lui fit Montalbano.

— Tu le connais, un curé qui s'appelle Sciaverio Crucillà ?

— Ce nom me parle mais pirsonnellement, je le connais pas. Je sais qu'il est pas d'ici, si je me trompe pas, il est à Montereale.

— Essaie de savoir tout ce qui le concerne, où il habite, quelles sont ses habitudes, les horaires qu'il a à l'église, qui il fréquente, ce qu'on dit de lui. Informe-toi bien. Après, quand tu auras fait tout ça, et tu dois le faire dans la journée…

— Je viens vous faire un rapport.

— Perdu. Tu me fais aucun rapport. Tu commences à le suivre, discrètement.

— *Dottore*, laissez-moi faire, à moi. Il me verra pas, même s'il doit se mettre des yeux derrière les cornes.

— Perdu encore une fois.

Fazio eut l'air dépassé.

— *Dottore*, quand on file quelqu'un, la règle est que cette personne doit pas s'en apercevoir. Autrement, c'est quoi, comme filature ?

— Dans ce cas, c'est différent. Le curé doit s'en rendre compte, que tu lui files le train. Même, arrange-toi pour qu'il sache que t'es un de mes hommes. Attention, que c'est très important qu'il comprenne que t'es un flic.

— Celle-là, on me l'avait jamais faite.

— Tous les autres, en revanche, ne doivent absolument pas remarquer la filature.

— *Dottore*, je peux être sincère ? J'y comprends que dalle.

— Pas de problème. N'y comprends rien, mais fais ce que je te dis.

Fazio prit un air offensé.

— Commissaire, ce que je fais sans comprendre, ça me vient toujours mal. Arrangez-vous donc avec ça.

— Fazio, le père Crucillà s'attend à être suivi.

— Mais pourquoi, petite Madone sainte ?

— Parce qu'il doit nous conduire en un certain endroit. Mais il est contraint de le faire comme si ça se passait à son insu. De la comédie, je me fais comprendre ?

— Je commence à saisir. Et qui c'est qu'il y a, dans cet endroit où le curé veut nous emmener ?

— Japichinu Sinagra.

— Putain de merde !

— Ton délicat euphémisme m'a fait comprendre que tu as enfin saisi l'importance de la question, dit le commissaire, parlant comme un livre.

Entre-temps, Fazio avait commencé à le regarder d'un œil soupçonneux.

124

— Comment vous avez fait, à comprendre que ce curé Crucillà connaît l'endroit où se planque Japichinu ? Celui-là, y a la moitié du monde qui le cherche, l'Antimafia, les Ros[1], la Criminelle, les groupes d'intervention de la police nationale et personne réussit à le trouver.

— Moi, je n'ai rien découvert. On me l'a dit. Ou plutôt, on me l'a fait comprendre.

— Le père Crucillà ?

— Non. Balduccio Sinagra.

On eût dit le début d'un léger tremblement de terre. Fazio, le visage en feu, vacilla, un pas en avant, un pas en arrière.

— *So'* grand-père ? demanda-t-il, le souffle coupé.

— Calme-toi, qu'on dirait que tu joues l'opéra des *pupi*. Son grand-père, oh que oui monsieur. Il veut que le petit-fils aille en prison. Mais peut-être que Japichinu n'est pas du tout convaincu. Les rapports entre le grand-père et le petit-fils passent par le curé. Que Balduccio a voulu me faire connaître chez lui. S'il n'avait pas eu d'intérêt à me le faire rencontrer, il l'aurait renvoyé avant que j'arrive.

— *Dottore*, j'arrive pas à saisir. Mais qu'est-ce qui lui vient dans le crâne ? A Japichinu, la perpète, même Dieu pourrait pas la lui éviter !

— Dieu peut-être pas, mais quelqu'un d'autre, si.

— Et comment ?

— En le tuant, Fazio. En prison, il a de bonnes chances de sauver sa peau. Les jeunes de la nouvelle mafia sont en train de les baiser, aussi bien les Sinagra que les Cuffaro. C'est pour ça que la prison de haute

---

1. *Reperto operativo speciale* : unité d'élite des carabiniers, plus ou moins l'équivalent du GIGN. *(N.d.T.)*

sécurité, ça signifie la sécurité non seulement pour ceux qui sont dehors, mais aussi ceux qui sont dedans.

Fazio y pinsa un moment, mais il s'était pirsuadé.

— Je dois aussi y dormir, à Montereale ?

— Je ne crois pas. La nuit, je ne crois pas que le curé sorte de chez lui.

— Le père Crucillà, comment il fera pour me faire comprendre qu'il m'emmène là où se cache Japichinu ?

— T'inquiète pas, un moyen, il va le trouver. Quand il t'aura indiqué l'endroit, fais bien attention, ne joue pas au plus malin, prends pas d'initiatives. Tu te mets immédiatement en contact avec moi.

— C'est bon.

Fazio se leva, se dirigea lentement vers la porte. A mi-chemin, il s'arrêta, se tourna pour regarder Montalbano.

— Qu'est-ce qu'il y a ?

— *Dottore*, je vous pratique depuis trop de temps pour ne pas comprendre que vous me chantez seulement la demi-messe.

— C'est-à-dire ?

— Sûrement, don Balduccio vous a dit aussi autre chose.

— Vrai, c'est.

— Je peux savoir ?

— Certainement. Il m'a dit que c'était pas eux. Et il m'a assuré que c'était pas non plus les Cuffaro. Donc, les coupables, ce sont les nouveaux.

— Mais coupables de quoi ?

— Je ne sais pas. Au jour d'aujourd'hui, je ne sais pas à quoi il se référait, putain. Mais une vague idée, je commence à l'avoir.

— Vous me la dites ?

— C'est trop tôt.

Fazio eut à peine le temps de tourner la clé dans la

126

serrure qu'il fut violemment rabattu contre le mur par la porte qu'avait repoussée Catarella.

— Le nez, il a failli me casser ! s'exclama Fazio, une main sur le visage.

— *Dottori ! Dottori !* haleta Catarella. Je suis désolé pour la ruption que je fis, mais il y a M. le quisteur en pirsonne, pirsonnellement !

— Où est-il ?

— Au tilifone, *dottori*.

— Passe-le-moi.

Catarella détala comme un lièvre, Fazio attendit qu'il soit passé pour sortir à son tour.

La voix de Bonetti-Alderighi parut provenir du fond d'un freezer, tellement elle était froide.

— Montalbano ? Une information préliminaire, si vous permettez ? La Tipo immatriculée AG 334 JB, elle est à vous ?

— Oui.

Maintenant, la voix de Bonetti-Alderighi provenait directement de la banquise. Dans le fond, on entendait hululer les ours (mais est-ce que les ours hululent ?).

— Venez me voir immédiatement.

— Je serai chez vous dans une petite heure, le temps de…

— Vous comprenez l'italien ? J'ai dit immédiatement.

— Entrez et laissez la porte ouverte, lui intima le questeur dès qu'il le vit arriver.

Il devait s'agir d'une affaire vraiment sérieuse parce que peu auparavant, dans le couloir, Lactes avait fait semblant de ne pas le voir. Tandis qu'il s'approchait du bureau, Bonetti-Alderighi se leva de son fauteuil et alla ouvrir la fenêtre.

« Je dois être devenu un virus, pinsa Montalbano. Ce type, il a la frousse que j'infecte l'air. »

Le questeur revint s'asseoir sans lui faire signe de l'imiter. Comme à l'époque du lycée, quand M. le proviseur le convoquait dans son bureau pour lui passer un bon savon.

— Bravo, dit Bonetti-Alderighi en le toisant. Bravo, vraiment bravo.

Montalbano ne souffla mot. Avant de décider comment se comporter, il fallait connaître les motifs de la colère de son supérieur.

— Ce matin, continua le questeur, j'ai à peine mis le pied dans ce bureau que j'ai trouvé une nouvelle que je n'hésite pas à qualifier de déplaisante. Et même, de très déplaisante. Il s'agit d'un rapport qui m'a mis dans une colère noire. Et ce rapport vous concerne.

« Tais-toi ! » s'ordonna sévèrement le commissaire à lui-même.

— Dans le rapport, il est écrit qu'une Tipo immatriculée…

Il s'interrompit, se laissant tomber en avant pour fixer la feuille qu'il avait sur le bureau.

— … AG 334 JB ? suggéra timidement Montalbano.

— Taisez-vous. C'est moi qui parle. Une Tipo immatriculée AG 334 JB est passée hier soir devant un de nos postes de contrôle en se dirigeant vers le logement du boss mafieux bien connu Balduccio Sinagra. Les recherches de rigueur ayant été menées, il a été établi que cette auto vous appartient et on a jugé indispensable de m'informer. Maintenant, dites-moi : vous êtes stupide au point d'imaginer que cette villa n'est pas maintenue sous surveillance constante ?

— Ah ben ça ! Qu'est-ce que vous dites ? se récria Montalbano, jouant à merveille la comédie.

Et certainement, au-dessus de sa tête, pointa la petite

sphère ronde que les saints ont l'habitude de porter. Puis il fit prendre à son visage une expression préoccupée et murmura entre ses dents :

— Zut alors ! Ça tombe mal !

— Vous avez bien raison de vous inquiéter, Montalbano ! Et moi, j'exige une explication. Qui soit satisfaisante. Autrement, votre carrière se termine ici. Voilà trop longtemps que je supporte vos méthodes qui, souvent et volontiers, flirtent avec l'illégalité !

Le commissaire baissa la tête, dans la position du personnage contrit. Le questeur, en le voyant ainsi, se sentit plein de courage et le prit de haut.

— Attention, Montalbano, que, s'agissant de quelqu'un comme vous, il n'est pas extravagant d'émettre l'hypothèse d'une collusion ! Il y a malheureusement des précédents célèbres que je ne m'attarderai pas à vous rappeler parce que vous les connaissez très bien ! Et puis, moi, j'en ai par-dessus la tête de vous et de votre commissariat de Vigàta ! On ne comprend pas si vous êtes des policiers ou une clique mafieuse !

Elle lui plaisait, cette formule qu'il avait déjà utilisée avec Mimì Augello.

— Je vais nettoyer tout ça !

Montalbano, fidèle au scénario, d'abord se boustigua les mains, puis prit un mouchoir dans sa poche, se le passa sur le visage. Il parla en hésitant.

— J'ai un cœur d'âne et un cœur de lion, monsieur le questeur.

— Je n'ai pas compris.

— Je me trouve bien embarrassé. Parce que le fait est que Balduccio Sinagra, après m'avoir parlé, m'a fait donner ma parole d'honneur que…

— Que ?

— Que de notre entretien, je ne dirais mot à personne.

Le questeur asséna une grande claque sur le bureau, un coup à lui faire sûrement péter la paume de la main.

— Mais vous vous rendez compte de ce que vous racontez ? Personne ne devait le savoir ! Et d'après vous, le questeur, votre supérieur direct, c'est personne ? Vous avez le devoir, je répète, le devoir…

Montalbano leva les bras en signe de reddition. Puis il se passa rapidement le mouchoir sur les yeux.

— Je sais, je sais, monsieur le questeur, assura-t-il, mais si vous pouviez comprendre combien je suis déchiré entre mon devoir d'une part et la parole donnée de l'autre…

Il se félicita à part soi. Qu'elle était belle, la langue italienne ! « Déchiré », c'était vraiment le verbe qu'il fallait.

— Vous déparlez, Montalbano ! Vous ne vous rendez pas compte de ce que vous dites ! Vous mettez sur le même niveau votre devoir et la parole donnée à un criminel !

Le commissaire hocha la tête à répétition.

— C'est vrai ! C'est vrai ! Ce que vous dites, c'est parole d'évangile !

— Et donc, sans tergiversations, dites-moi pourquoi vous avez eu une entrevue avec Sinagra ! Je veux une explication totale.

Maintenant, venait la scène mère de la comédie qu'il avait improvisée. Si le questeur ne pitait pas, toute l'affaire s'arrêtait là.

— Je crois qu'il veut se repentir ! murmura-t-il à voix basse.

— Hein ? fit le questeur qui n'y avait compris que pouic.

— Je crois que Balduccio Sinagra a plus ou moins l'intention de se repentir.

Comme soulevé dans les airs par une explosion

130

survenue juste à l'endroit où il était assis, Bonetti-Alderighi jaillit du fauteuil, et courut, fébrile, fermer la fenêtre et la porte. A cette dernière, il donna même un tour de clé.

— Asseyons-nous là, dit-il en poussant le commissaire vers un petit divan. Comme cela, nous ne serons pas obligés de hausser la voix.

Montalbano s'assit, s'alluma une cigarette bien qu'il sût que le questeur se prenait les nerfs, il avait de véritables attaques d'hystérie dès qu'il voyait un filet de tabac. Mais cette fois, Bonetti-Alderighi ne s'en aperçut même pas. Le sourire éperdu, l'œil rêveur, il se contemplait lui-même, entouré de journalistes bagarreurs et impatients, sous la lumière des projecteurs, une grappe de microphones tendue vers sa bouche, tandis qu'il expliquait avec une brillante éloquence comment il avait réussi à convaincre un des plus sanguinaires boss mafieux à collaborer avec la justice.

— Dites-moi tout, Montalbano, supplia-t-il d'une voix de conspirateur.

— Que dois-je vous dire, monsieur le questeur ? Hier, Sinagra m'a téléphoné personnellement en personne pour me dire qu'il voulait me voir tout de suite.

— Vous pouviez au moins m'avertir ! le réprimanda le questeur tandis qu'il agitait en l'air l'index de la main droite pour le traiter de petit vilain.

— Je n'en ai pas eu le temps, croyez-moi. Et puis, non, attendez…

— Oui ?

— Maintenant, je me souviens de vous avoir appelé, mais on m'a répondu que vous étiez occupé, une réunion, je ne sais pas, quelque chose de ce genre…

— C'est possible, c'est possible, admit l'autre. Mais venons-en au fait : que vous a dit Sinagra ?

— Monsieur le questeur, le rapport vous aura certainement appris qu'il s'est agi d'un entretien très bref.

Bonetti-Alderighi se leva, regarda la feuille sur le bureau, revint, s'assit.

— Quarante-cinq minutes, ce n'est pas rien.

— D'accord, mais dans les quarante-cinq minutes, vous devez compter aussi la durée du trajet aller et retour.

— En effet.

— Voilà : Sinagra, plutôt que de me le dire ouvertement, me l'a fait comprendre. Moins que ça même : il a tout abandonné à mon intuition.

— A la sicilienne, hein ?

— Eh oui.

— Vous voulez essayer d'être plus précis ?

— Il m'a dit qu'il commençait à se sentir fatigué.

— Je vous crois. Il a quatre-vingt-dix ans !

— Précisément. Il m'a dit que l'arrestation de son fils et la cavale de son petit-fils avaient été des coups durs à supporter.

Ça ressemblait vraiment à une réplique de série B, elle lui était bien venue. Mais le questeur parut un peu déçu.

— C'est tout ?

— C'est déjà beaucoup, monsieur le questeur ! Réfléchissez-y : pourquoi, de sa situation, a-t-il voulu me parler, à moi ? Eux, vous le savez, ils ont l'habitude de traîner les pieds. Il faut du temps, de la patience et de la ténacité.

— Eh oui, eh oui.

— Il m'a dit que bientôt, il va me rappeler.

De la déception momentanée, Bonetti-Alderighi regrimpa jusqu'à l'enthousiasme.

— Il a vraiment dit ça ?

— Oh que oui, monsieur. Mais il faudra beaucoup de

132

prudence, un seul faux pas et c'est l'échec, l'enjeu est très important.

Il fut pris de dégoût pour ce qui lui sortait de la bouche. Un recueil de lieux communs, mais c'était le langage qui marchait en ce moment. Il se demanda jusqu'à quand il pourrait jouer la farce.

— Bien sûr, je comprends.

— Pensez, monsieur le questeur, que je n'ai voulu mettre au courant aucun de mes hommes. Il y a toujours le risque d'une taupe.

— Je ferai de même ! jura le questeur en tendant une main devant lui.

On se serait cru à Pontida[1]. Le commissaire se leva.

— Si vous n'avez pas d'autres ordres…

— Allez, allez, Montalbano. Et merci.

Ils se serrèrent vigoureusement la main, en se regardant dans les yeux.

— Mais… dit le questeur, s'affaissant soudain.

— Je vous écoute.

— Il y a ce sacré rapport. Je ne peux pas ne pas en tenir compte, vous comprenez ? Il faut bien que je donne une réponse.

— Monsieur le questeur, si quelqu'un devine qu'il y a un contact, si minime soit-il, entre nous et Sinagra, et en répand la nouvelle, tout est fichu. J'en suis convaincu.

— Eh oui, eh oui.

— Voilà pourquoi, tout à l'heure, quand vous m'avez

1. A Pontida, en 1167, eut lieu le Serment de Pontida, par lequel fut créée la Ligue lombarde qui défit l'empereur germanique Frédéric Ier Barberousse. A la fin du xxe siècle, Umberto Bossi a recréé une Ligue lombarde sous forme d'une organisation régionaliste, raciste et poujadiste, laquelle chaque année, lors d'une cérémonie grotesque, mime le Serment de Pontida. (N.d.T.)

dit que ma voiture avait été repérée, j'ai eu un mouvement de déception.

Mais comme ça lui réussissait bien, de parler comme ça ! Est-ce qu'il aurait trouvé la bonne façon de s'exprimer ?

— Ils ont photographié la voiture ? demanda-t-il après une pause convenable.

— Non. Ils n'ont pris que le numéro de la plaque.

— Alors, il y a peut-être une solution. Mais je ne me hasarderais pas à vous la proposer, elle offenserait votre adamantine honnêteté d'homme et de serviteur de l'Etat.

Comme à l'article de la mort, Bonetti-Alderighi exhala un long soupir.

— Dites-la-moi toujours.

— Il suffira de leur dire qu'ils se sont trompés en notant la plaque.

— Mais comment est-ce que je fais, pour savoir qu'ils se sont trompés ?

— Parce que vous, justement durant cette demi-heure durant laquelle ils soutiennent que j'allais chez Sinagra, vous me passiez un long coup de fil. Personne n'osera vous contredire. Qu'est-ce que vous en dites ?

— Bah ! fit le questeur, peu convaincu. Je verrai.

Montalbano s'en fut, certain que Bonetti-Alderighi, quoique tourmenté de scrupules, ferait comme il le lui avait suggéré.

Avant de s'en aller de Montelusa, il appela le commissariat.

— Allons ? Allons ? C'est qui qui tilifone ?

— Catarè, Montalbano, je suis. Passe-moi le *dottor* Augello.

— Je peux pas vous l'apasser, vu qu'étant donné il

134

n'est pas là. Mais avant, il y était, là. Il vous attendit et vu que vosseigneurie venait pas, il s'en alla.

— Tu le sais, pourquoi il est parti ?

— A cause de la raison qu'il y eut un incendite.

— Un incendie ?

— Oh que oui. Et peut-être un incendite volontaire, comme y disent les pompiers. Et le *dottori* Augello, il y alla avec les collègues Gallo et Galluzzo, étant donné que Fazio ne se trouvait pas là.

— Qu'est-ce qu'ils nous voulaient, les pompiers ?

— Ils disaient qu'ils étaient en train d'éteindre cet incendite volontaire. Et puis le *dottori* Augello se prit, lui, le tilifone et il leur parla.

— Tu le sais, où il s'est déclenché, l'incendie ?

— L'incendite démarra quartier Petit Pois.

Ce quartier, il n'en avait jamais entendu parler. Comme la caserne des pompiers se trouvait à quelques pas, il s'y précipita, se présenta. On lui dit que l'incendie, sûrement volontaire, avait éclaté au quartier Fève.

— Pourquoi nous avez-vous téléphoné ?

— Parce que dans une maison agricole démolie, nos hommes ont retrouvé deux cadavres. Apparemment, il s'agit de deux vieux, un homme et une femme.

— Ils sont morts dans l'incendie ?

— Non, commissaire. Les flammes avaient déjà encerclé les restes de la maison, mais nos hommes sont intervenus à temps.

— Alors, comment sont-ils morts ?

— *Dottore*, il semble qu'ils aient été assassinés.

Neuf

Ayant laissé la nationale, il dut prendre une draille étroite et en montée, tout en gros cailloux et en fossés, que la voiture gémissait sous l'effort comme si ç'avait été une créature. A un certain point, il ne put continuer plus avant, la progression était empêchée par des véhicules de pompiers et par d'autres voitures qui s'étaient garées aussi sur le terrain tout autour.

— Vous êtes qui, vous ? Où voulez-vous aller ? demanda, agressif, un gradé dès qu'il le vit sortir de l'auto et faire mine de continuer à pied.

— Le commissaire Montalbano, je suis. On m'a dit que…

— Bon, bon, dit le gradé, pressé. Allez-y donc, vos hommes sont déjà sur place.

Il faisait chaud. Il ôta la cravate et la veste qu'il avait dû mettre pour aller chez le questeur. Malgré cet allègement, au bout de quelques pas, il suait comme un cochon. Mais où était l'incendie ?

La réponse, il l'eut tout de suite après le virage. Le paysage changea d'un coup du tout au tout. Plus un arbre en vue, plus un brin d'herbe, une touffe, une plante quelconque, rien qu'une distance informe et uniforme de couleur marron très sombre, toute desséchée ; l'air était dense comme dans certaines journées de sirocco féroce, mais il puait le brûlé, çà et là, de temps en temps s'élevait un filet de fumée. La maison paysanne était encore à une centaine de mètres, noircie par le feu. Elle se dressait à mi-côte d'une collinette, au sommet de laquelle on voyait encore des flammes et la silhouette d'hommes qui couraient.

Un type qui descendait la draille lui barra le passage, main tendue.

— Salut, Montalbano.

C'était un collègue à lui, commissaire à Comisini.

— Salut, Miccichè. Qu'est-ce que tu fais, par ici ?

— En fait, la question, c'est moi qui devrais te la poser.

— Pourquoi ?

— C'est mon territoire, par ici. Les pompiers, ne sachant pas si la campagne Fève appartenait à Vigàta ou à Comisini, pour être sûrs de ne pas se tromper, ont averti les deux commissariats. Les morts, c'est moi qui aurais dû les prendre en charge.

— Aurais ?

— Ben, oui. Avec Augello, nous avons téléphoné à la questure. Moi, j'avais proposé qu'on se répartisse un mort chacun.

Il rit. Il s'attendait à une riposte hilare de la part de Montalbano, mais celui-ci ne parut même pas avoir entendu.

— Mais le questeur a ordonné de te les laisser tous les deux à toi, étant donné que vous vous occupiez déjà de l'affaire. Alors, au revoir, et bon travail.

Il s'éloigna en sifflotant, évidemment content de s'être débarrassé de la corvée. Montalbano continua à marcher sous un ciel qui devenait à chaque pas toujours plus gris. Il commença à tousser, il avait du mal à respirer. Sans pouvoir s'en expliquer la raison, il commença à se sentir agité, nerveux. Un petit vent très léger s'était levé et la cendre restait en suspension dans l'air avant de retomber, impalpable. Plus que nerveux, il comprit qu'il était effrayé. Il allongea le pas, mais son souffle pressé transportait à l'intérieur de ses poumons de l'air lourd, comme contaminé. Il n'en pouvait plus d'avancer seul, il s'arrêta, appela.

— Augello ! Mimì !

De la maison paysanne noircie et en ruine, sortit Augello qui courut à sa rencontre, il tenait à la main un objet blanc et l'agitait. Quand il fut devant lui, il le lui tendit : c'était un masque antismog.

— C'est les pompiers qui nous l'ont donné, c'est mieux que rien.

Les cheveux de Mimì étaient devenus gris, les sourcils aussi, il semblait vieilli d'une vingtaine d'années. Tout cela sous l'effet de la cendre.

Tandis qu'appuyé au bras de son adjoint, il allait entrer dans la maison, il sentit, malgré le masque, une forte odeur de chair brûlée. Il eut un mouvement de recul, tandis que Mimì le regardait d'un air interrogateur.

— C'est eux ? demanda-t-il.

— Non, le rassura Augello. Derrière la maison, il y avait un chien enchaîné. On arrive pas à comprendre à qui il appartient. Il a brûlé vif. Une mort horrible.

« Pourquoi, celle des Griffo l'a été moins ? » se demanda Montalbano dès qu'il vit les deux corps.

Le sol, qui avait été de terre battue, s'était transformé en une espèce de bourbier, à cause de toute l'eau qu'y avaient jetée les pompiers, les deux corps flottaient presque.

Ils étaient couchés sur le ventre, on les avait tués d'un seul coup de feu à la nuque, après leur avoir ordonné de s'agenouiller à l'intérieur d'une espèce de réduit sans fenêtre, qui avait peut-être été autrefois une resserre puis, quand la maison était tombée en ruine, transformée en chiotte à la puanteur insupportable. Un endroit assez abrité de la vue de quiconque se serait présenté à l'entrée de la vaste salle qui avait constitué toute la maison.

— Jusqu'ici, on peut venir en voiture ?

— Non. On peut s'approcher jusqu'à un certain point, et puis il faut se taper une trentaine de mètres à pied.

Il se les imagina, le commissaire, les deux vieillards marchant dans la nuit, dans le noir, devant quelqu'un qui les tenait en joue. Sûrement, ils avaient trébuché sur les pierres, ils étaient tombés et ils s'étaient blessés, mais toujours, ils avaient dû se relever et reprendre la route, peut-être avec l'aide d'un coup de latte des bourreaux. Et, bien sûr, ils ne s'étaient pas rebellés, ils n'avaient pas crié, ils n'avaient pas supplié, muets, glacés par la conscience de la mort imminente. Une agonie interminable, un véritable chemin de croix, cette trentaine de mètres.

Etait-ce cela, cette exécution impitoyable, la ligne à ne pas franchir dont lui avait parlé Balduccio Sinagra ? Le cruel assassinat de sang-froid de deux vieillards tremblants et sans défense ? Mais non, allons, ça ne pouvait être ça, la limite, ce n'est pas à ce double meurtre que Balduccio voulait se déclarer étranger. Ils avaient fait bien pire, ils avaient *incaprettato*[1], torturé des vieux et des gamins, ils avaient même étranglé et dissous dans l'acide un petit de dix ans, coupable seulement d'être né dans une certaine famille. Donc ce qu'il voyait, pour eux, n'outrepassait pas la limite. L'horreur,

1. Lier bras et jambes repliés dans le dos, comme un cabri qu'on transporte, le lien revenant autour du cou, de sorte que l'on s'étrangle si on se débat : mode d'exécution mafieux classique. *(N.d.T.)*

pour le moment invisible, se trouvait un peu plus loin encore. Il eut comme un léger vertige, s'appuya au bras de Mimì.

— Ça va, Salvo ?

— C'est ce masque qui me donne un peu d'*accùpa*.

Non, le poids sur la poitrine, le souffle qui manque, l'arrière-goût de mélancolie infinie, l'*accùpa* en somme, ce n'était pas le masque qui le lui provoquait. Ce fut à ce moment qu'il put remarquer une chose qui acheva de le bouleverser.

Sous la bouillasse, on voyait en relief le bras droit d'elle et son gauche à lui. Les deux bras étaient restés droits, ils se touchaient. Montalbano se pencha un peu plus pour mieux voir, serrant toujours le bras de Mimì. Et il vit les mains des deux morts : les doigts de sa main droite à elle étaient restés enlacés à ceux de la gauche à lui. Ils étaient morts en se tenant par la main. Dans la nuit, dans la terreur, avec devant eux le noir plus que noir de la mort, ils s'étaient cherchés, ils s'étaient trouvés, ils s'étaient réconfortés l'un l'autre comme tant de fois dans leur vie, ils l'avaient déjà sûrement fait. La peine, la pitié l'assaillirent à l'improviste avec la violence de deux coups de poing dans la poitrine. Il chancela et Mimì, vivement, le retint.

— Sors de là, tu me racontes des blagues.

Il tourna le dos, sortit. Il regarda tout autour de lui. Il ne se rappelait pas qui, mais quelqu'un d'une Eglise quelconque avait affirmé que l'enfer existait sûrement mais qu'on ignorait où il était situé. Pourquoi n'essaierait-il pas de passer dans le coin ? Peut-être que l'idée d'un emplacement possible lui viendrait.

Mimì le rejoignit, le fixa attentivement.

— Salvo, comment ça va ?

— Bien, bien. Gallo et Galluzzo, où ils sont ?

— Je les ai envoyés donner un coup de main aux

pompiers. De toute façon, qu'est-ce qu'ils avaient à faire, ici ? Et toi aussi, pourquoi tu t'en vas pas ? Je reste, moi.

— Tu as averti le substitut ? La Scientifique ?

— Tous. Ils vont arriver, tôt ou tard. Va-t'en.

Montalbano ne bougea pas. Il restait debout, fixant le sol.

— J'ai commis une faute, dit-il.

— Hein ? fit Augello, ébahi. Une faute ?

— Oui. Moi, cette histoire des deux petits vieux, je l'ai prise par-dessous la jambe depuis le début.

— Salvo, réagit Augello. Mais tu ne viens pas de les voir ? Les pôvres, ils ont été assassinés dès la nuit de dimanche, au retour de l'excursion. Qu'est-ce qu'on y pouvait ? On savait même pas qu'ils existaient !

— Je parle d'après, après que le fils est venu nous dire qu'ils avaient disparu.

— Mais on a fait tout notre possible !

— Vrai, c'est. Mais moi, de mon côté, je l'ai fait sans conviction. Mimì, ici, je tiens pas. Je m'en vais à Marinella. On se voit au bureau à cinq heures.

— Bon, dit Mimì.

Il continua de fixer le commissaire, l'air préoccupé, jusqu'à ce qu'il le vît disparaître à un tournant.

A Marinella, il n'ouvrit pas le réfrigérateur pour voir ce qu'il y avait dedans, il n'avait pas envie de manger, il se sentait l'estomac noué. Il alla dans la salle de bains et se regarda dans le miroir : la cendre, non content de lui avoir couvert de gris cheveux et moustache, lui avait fait ressortir les rides, en les teignant d'un blanc pâle, de malade. Il se lava seulement le visage, se déshabilla complètement en laissant tomber à terre vêtements et sous-vêtements, passa son maillot de bain, courut vers le bord de mer.

Agenouillé dans le sable, il creusa un trou large comme les mains, s'arrêta seulement quand il vit affleurer rapidement l'eau. Il prit une poignée d'algues encore vertes et la jeta dans le trou. Ensuite, il se colla au sol, sur le ventre, et glissa la tête dans le trou. Profondément, il respira une, deux, trois fois et, à chaque inspiration, l'odeur d'embruns salés et d'algues lui nettoyait les poumons de la cendre qui y était entrée. Puis il se leva et entra dans la mer. En quelques solides brasses, il gagna le large. Il se remplit la bouche d'eau de mer, se rinça longuement le palais et la gorge. Puis, pendant une demi-heure, il fit la planche, sans penser à rien.

Il flottait comme une branche, une feuille.

De retour au bureau, il téléphona au Dr Pasquano qui répondit comme à *so'* habitude :

— Ah, je m'y attendais à ce grand tracassin du coup de téléphone ! Même, je me demandais s'il vous était pas arrivé quelque chose, étant donné que vous ne vous étiez pas encore manifesté ! Prioccupé, j'étais ! Qu'est-ce que vous voulez savoir ? Sur les deux morts, je besogne demain.

— Docteur, il suffit que vous me répondiez par oui ou par non. A vue de nez, ils ont été tués dans la nuit de dimanche à lundi ?

— Oui.

— Un seul coup à la nuque, genre exécution ?

— Oui.

— On les a torturés avant de tirer ?

— Non.

— Merci, docteur. Vous avez vu ce que je vous ai fait économiser, comme souffle ? Comme ça, vous l'aurez encore tout à vous, à l'article de la mort.

— Qu'est-ce que j'aimerais faire votre autopsie ! dit Pasquano.

Mimì Augello, cette fois, fut très ponctuel. Il se présenta à cinq heures pile. Mais il avait une tête de deux pans de long, il était évident qu'il y avait une pinsée qui le travaillait.

— Tu as trouvé le temps pour te reposer, Mimì ?

— Tu parles ! On a dû attendre Tommaseo qui, avec la voiture, s'était retrouvé dans un fossé.

— Tu as mangé ?

— Beba m'a préparé un sandwich.

— Et qui est Beba ?

— Mais c'est toi qui me l'as présentée. Beatrice.

Il l'appelait déjà Beba ! Donc, tout se déroulait au mieux. Mais alors, pourquoi Mimì faisait-il cette tronche de jour des morts ? Il n'eut pas le temps de s'attarder sur le sujet car Augello lui adressa une question à laquelle il était bien loin de s'attendre.

— Tu es toujours en contact avec cette Suédoise, comment elle s'appelle, Ingrid ?

— Ça fait un moment que je ne l'ai pas vue. Mais elle m'a téléphoné y a une simaine. Pourquoi ?

— On peut se fier à elle ?

Montalbano ne supportait pas qu'à une question on lui réponde par une question. Lui, peut-être qu'il le faisait de temps en temps, mais c'était toujours dans un but précis. Il continua le jeu.

— Et toi, à ton avis ?

— Tu la connais pas mieux que moi, peut-être ?

— Pourquoi t'as besoin d'elle ?

— Tu me prends pas pour un fou si je te le dis ?

— Tu penses que je peux faire ça ?

— Même si c'est un gros truc ?

Le commissaire en eut marre de ce jeu, Mimì ne s'était même pas rendu compte de l'absurdité de leur dialogue.

— Ecoute, Mimì, de la discrétion d'Ingrid, je peux en jurer. Quant à te prendre pour un fou, je l'ai déjà fait tant de fois, qu'une fois de plus, une fois de moins, ça n'a pas d'importance.

— A cause d'elle, je n'ai pas fermé l'œil de la nuit ! Elle y allait fort, Beba !

— Qui ?

— Une lettre, une de celles écrites par Nenè Sanfilippo à sa maîtresse. Tu ne sais pas, Salvo, ce que je me les suis étudiées ! Je les connais presque par cœur.

« Quel con tu es, Salvo ! se reprocha Montalbano, tu ne fais que mal penser de Mimì et en fait, le pôvre, il besogne même la nuit ! »

Après s'être dûment admonesté, le commissaire surmonta agilement ce bref moment d'autocritique.

— Bon, bon. Mais qu'est-ce qu'il y avait dans cette lettre ?

Mimì attendit un moment avant de se décider à répondre.

— Ben, lui, il se met très en colère, dans un premier temps, parce qu'elle s'est épilée.

— Qu'est-ce qu'il avait à s'énerver ? Toutes les femmes s'épilent les aisselles !

— Il ne parlait pas des aisselles.

— Ah, fit Montalbano.

— Epilation totale, tu comprends ?

— Oui.

— Ensuite, dans les lettres qui suivent, il prend goût à la nouveauté.

— Bon, mais tout ça, quelle importance ?

— C'est important ! Parce que moi, en y perdant le sommeil et même la vue, je crois avoir compris qui était la maîtresse de Nenè Sanfilippo. Certaines descriptions qu'il fait de son corps à elle, dans les plus petits détails, sont mieux que des photographies. Comme tu sais, à moi, les femmes, ça me plaît de les regarder.

— Pas seulement regarder.

— D'accord. Et moi, je me suis persuadé de pouvoir la reconnaître, à cette dame. Parce que je suis sûr de l'avoir déjà rencontrée. A deux doigts d'en avoir une identification sûre.

— A deux doigts ! Mimì, mais qu'est-ce que tu vas chercher ? Tu veux que moi, j'aille voir cette dame et que je lui dise : « Le commissaire Montalbano, je suis. Madame, s'il vous plaît, baissez un instant votre culotte. » Mais celle-là, au minimum, elle me fait interner !

— C'est pour ça que j'ai pensé à Ingrid. Si c'est la femme à qui je pense, je l'ai vue à Montelusa quelquefois en compagnie de la Suédoise. Elles doivent être amies.

Montalbano fit la grimace.

— T'es pas convaincu ? demanda Mimì.

— Je suis convaincu. Mais toute l'histoire pose un beau problème.

— Pourquoi ?

— Parce que je vois pas Ingrid trahir une amie.

— Trahir ? Et qui te parle de trahison ? On peut trouver n'importe quel moyen, la mettre en condition de laisser échapper quelques mots…

— Comment, par exemple ?

— Mais, je sais pas, moi, tu invites Ingrid à dîner, puis tu la conduis chez toi, tu la fais boire, un peu de ce vin rouge de chez nous qu'elles en sont dingues, et…

— … et je me mets à parler de poils ? A elle, il lui vient une attaque si je me mets à parler de certaines choses avec elle ! De ma part, elle s'y attend pas !

A Mimì, de la surprise, la mâchoire lui en tomba.

— Elle s'y attend pas ? Mais dis-moi une chose, Ingrid et toi…

— Qu'est-ce que tu t'imagines ? s'irrita Montalbano. Moi, je suis pas comme à toi, Mimì !

Augello le regarda un moment, puis joignit les mains en prière et leva les yeux au ciel.

— Qu'est-ce que tu fais ?

— Demain j'envoie une lettre à Sa Sainteté, répondit Mimì, l'air pénétré.

— Qu'est-ce que ça veut dire ?

— Qu'il te canonise pendant que t'es encore vivant.

— J'aime pas ton humour balourd, dit le commissaire avec brusquerie.

Mimì redevint d'un coup sérieux. Sur certains sujets, avec son chef, il fallait s'avancer sur la pointe des pieds.

— En tout cas, pour ce qui concerne Ingrid, donne-moi le temps d'y penser.

— D'accord, mais n'en prends pas trop, Salvo. Tu le comprends, un petit meurtre pour des histoires de cornes, c'est une chose, mais c'en est une autre…

— Je la comprends très bien la différence, Mimì. Et c'est pas toi qui vas me l'apprendre. Devant moi, t'as encore la morve au nez.

Augello encaissa sans réagir. Tout à l'heure, en parlant d'Ingrid, il avait manqué de tact. Il fallait lui faire passer la mauvaise humeur.

— Il y a une autre histoire, Salvo, dont je veux te parler. Hier, après qu'on a mangé, Beba m'a invité chez elle.

A Montalbano, la mauvaise humeur passa d'un coup. Il retint son souffle. Entre Mimì et Beatrice, il s'était déjà passé ce qui devait se passer, comme ça, en un tournemain ? Si Beatrice avait couché tout de suite avec Mimì, peut-être que la chose finirait vite. Et inévitablement, Mimì reviendrait à sa Rebecca.

— Non, Salvo, nous n'avons pas fait ce que tu

146

penses, dit Augello comme s'il avait le pouvoir de lire dans sa tête. Beba est une fille bien. Très sérieuse.

Comment c'est qu'il disait, Shakespeare ? Ah, oui : « Tes paroles sont une nourriture pour moi. » Donc, si Mimì parlait comme ça, il y avait de l'espoir.

— A un certain moment, elle est allée se changer. Moi, resté seul, j'ai pris en main une revue qui traînait sur la table basse. Je l'ai ouverte et une photo qui se trouvait entre les pages est tombée. Elle représentait l'intérieur d'un autocar avec les passagers assis. De dos, il y avait Beba, une poêle à la main.

— Quand elle est revenue, tu lui as demandé à quelle occasion…

— Non. Ça m'a paru, comment dire, indiscret. J'ai remis la photo en place et voilà.

— Pourquoi tu me racontes ça ?

— Il m'est venu une idée. Si durant ce voyage, on prend des photos souvenirs, il est possible qu'il y en ait de disponibles de l'excursion à Tindari, celle à laquelle ont participé les Griffo. Si ces photos existent, peut-être qu'on peut en tirer quelque chose, même si je ne sais pas quoi.

Ben, on ne pouvait nier qu'Augello avait eu une brillante idée. Et, à tous les coups, il attendait un mot élogieux. Qui ne vint pas. Froidement et méchamment, le commissaire ne voulut pas lui donner cette satisfaction. Au contraire.

— Mimì, le roman, tu l'as lu ?

— Quel roman ?

— Si je ne me trompe, avec les lettres, je t'avais donné une espèce de roman que Sanfilippo…

— Non, je ne l'ai pas encore lu.

— Et pourquoi ?

— Comment, pourquoi ? Mais je suis en train de me

147

damner l'âme sur ces lettres ! Avant le roman, je veux savoir si j'ai repéré qui était la maîtresse de Sanfilippo.

Il se leva.

— Où vas-tu ?

— J'ai quelque chose à faire.

— Ecoute, Mimì, ici, c'est pas un hôtel où…

— J'avais promis à Beba que je l'aurais emmenée à…

— Bon, bon. Pour cette fois, vas-y, concéda, magnanime, Montalbano.

— Allô ? La société Malaspina ? Le commissaire Montalbano, je suis. Le chauffeur Tortorici est là ?

— Il revint juste à l'instant. Il est là à côté de moi. Je vous le passe.

— Bonsoir commissaire, dit Tortorici.

— Excusez-moi pour le dérangement, mais j'ai besoin d'une information.

— A vos ordres.

— Il paraît que durant les excursions, on prend des photographies ?

— Ben, oui… mais…

Il semblait embarrassé, sa voix hésitait.

— On en prend ou pas ?

— Euh… excusez-moi, *dottore*. Je peux vous rappeler d'ici maximum cinq minutes ?

Il rappela que les cinq minutes n'étaient pas encore passées.

— *Dottore*, pardonnez-moi encore, mais je ne pouvais parler devant l'ingénieur.

— Pourquoi ?

— Vous voyez, commissaire, la paie est basse.

— Et quel rapport ?

— Le rapport c'est que… Moi, j'arrondis les fins de mois, commissaire.

— Expliquez-vous mieux, Tortorici.

— Les passagers, presque tous, s'emmènent l'appareil photo. Quand on part, je leur dis que sur l'autobus, il est interdit de faire des photos. Ils peuvent en faire tant qu'ils veulent une fois arrivés à destination. La permission de prendre des photos durant le voyage, il n'y a que moi qui l'ai. Ils marchent tous, personne ne proteste.

— Excusez-moi, mais si vous êtes occupé à conduire, qui prend les photos ?

— Je le demande au vendeur ou à un des passagers. Après, je les fais développer et je les vends à ceux qui veulent avoir le souvenir.

— Pourquoi est-ce que vous ne vouliez pas que l'ingénieur entende ?

— Parce que je ne lui ai pas demandé la permission de faire des photos.

— Il suffirait de la lui demander, et tout s'arrangerait.

— Eh oui, et comme ça, lui, d'une main, il me donne la permission et de l'autre, il me demande un pourcentage. Je gagne une misère, *dottore*.

— Vous les conservez, les négatifs ?

— Bien sûr.

— Vous pouvez me faire avoir ceux de la dernière excursion à Tindari ?

— Mais ceux-là, je les ai déjà tous fait développer ! Après la disparition des Griffo, j'ai pas eu *u cori*, le cœur de les vendre. Mais maintenant qu'ils ont été tués, je suis sûr que je vais les vendre toutes et même au double du prix !

— Ecoutez, faisons comme cela. Moi, je m'achète les photos développées et je vous laisse à vous les négatifs. Et vous, vous pourrez les vendre comme vous voulez.

149

— Quand est-ce que vous les voulez ?

— Le plus tôt possible.

— Maintenant, je dois par force faire une commission à Montelusa. Si je vous les amène au commissariat ce soir, vers les neuf heures, ça va bien ?

Il avait fait trente ? Autant faire trente et un. Après la mort du beau-père d'Ingrid, elle et son mari avaient déménagé. Il chercha le numéro, le composa. C'était l'heure du dîner et la Suédoise, quand elle pouvait, préférait manger en famille.

— Tu palles que moi j'écoute, dit une voix de femme au téléphone.

Ingrid avait certes changé de maison mais elle n'avait pas changé d'habitude pour ce qui concernait les bonnes : elle allait se les chercher à la Terre de Feu, au Kilimandjaro, au Cercle polaire arctique.

— Montalbano, je suis.

— Comment tu dis ?

Ce devait être une aborigène australienne. Un entretien entre elle et Catarella pouvait être mémorable.

— Montalbano. Madame Ingrid est là ?

— Elle faire mange mange.

— Vous me l'appelez ?

De longues minutes passèrent. S'il n'y avait eu une rumeur de voix lointaines, le commissaire aurait pu pinser que la ligne était coupée.

— Mais qui est à l'appareil ? demanda enfin Ingrid, circonspecte.

— Montalbano, je suis.

— Ah, c'est toi, Salvo ! La bonne m'a dit qu'il y avait un certain Talibano au téléphone. Quel plaisir de t'entendre !

— Ingrid, j'ai honte, mais j'ai besoin de ton aide.

— Tu te souviens de moi seulement quand je peux t'être utile ?

— Allez, Ingrid ! C'est un truc sérieux.

— Bon, qu'est-ce que tu veux ?

— Demain soir, on peut se voir à dîner ?

— Bien sûr. Je laisse tout tomber. Où est-ce qu'on se voit ?

— Au bar habituel, à la Marinella. A huit heures, si ce n'est pas trop tôt pour toi.

Il raccrocha, se sentant heureux et embarrassé. Mimì l'avait mis dans une sale situation : quelle tête, quels mots allait-il utiliser pour interroger Ingrid sur une éventuelle amie épilée ? Déjà, il se voyait, rouge et suant, balbutier des questions incompréhensibles à la Suédoise toujours plus amusée... Et tout à coup, il se figea. Peut-être y avait-il une issue. Si Nenè Sanfilippo avait remis dans l'ordinateur la correspondance érotique, se pouvait-il que... ?

Il prit les clés de l'appartement de la via Cavour et sortit en courant.

Dix

A la même vitesse que le commissaire entrant dans le commissariat, Fazio sortait. Et l'inévitable choc frontal advint, digne des meilleurs films comiques : comme ils étaient de la même taille et tenaient la tête baissée, ils faillirent s'encorner mutuellement comme des cerfs en chaleur.

— Où allez-vous ? Je dois vous parler, dit Fazio.

— Parlons, dit Montalbano.

Fazio ferma à clé la porte du bureau, s'assit avec un sourire satisfait.

— C'est fait, *dottore*.

— Comment ça, *fait* ? s'étonna Montalbano. Du premier coup ?

— Oh que si, monsieur, du premier coup. Le père Crucillà est un curé malin, genre qui pourrait, pendant qu'il dit la sainte messe, avec un rétroviseur, surveiller dedans l'église ce que font les paroissiens. Bon bref, à peine je suis arrivé à Montereale, je suis allé à l'église et je me suis assis sur un banc au dernier rang. Y avait pas âme qui vive. Au bout d'un petit moment, le père Crucillà est sorti de la sacristie avec les parements, suivi par un enfant de chœur. Je crois qu'il devait porter les saintes huiles à un moribond quelconque. En passant, il m'a regardé : pour lui, j'étais une tête nouvelle, et moi aussi je l'ai regardé. Je suis resté cloué au banc pendant presque deux heures, puis il est revenu. On s'est de nouveau matés. Il est resté une dizaine de minutes en sacristie et puis il est ressorti de nouveau, toujours avec l'enfant de chœur derrière lui. Arrivé à ma hauteur, il m'a fait salut, avec les cinq doigts de la main bien ouverts. Qu'est-ce que ça pouvait bien vouloir dire, d'après vous ?

— Qu'il voulait que tu reviennes à l'église à cinq heures.

— C'est comme ça que je pinsai, moi aussi. Mais vous voyez, comme il est malin ? Si j'étais un fidèle quelconque, ce salut n'était qu'un salut, mais si j'étais la personne envoyée par vous, ce n'était plus un salut, mais un rendez-vous pour cinq heures.

— Qu'est-ce que t'as fait ?

— Je suis allé à manger.

— A Montereale ?

— Non, *dottore*, je suis pas si couillon que vous croyez. A Montereale, y a que deux trattorias et j'y connais un tas de gens. Je voulais pas me faire voir au pays. Comme j'avais le temps, je suis allé du côté de Bibera.

— Si loin ?

— Oh que oui, mais ça en valait la peine. On m'avait dit qu'il y a un endroit où on mange comme des dieux.

— Comment il s'appelle ? demanda aussitôt Montalbano, vivement intéressé.

— Chez Peppuccio, ça s'appelle. Mais ils font la cuisine que c'est vraiment dégueu. Peut-être que c'était pas le bon jour, possible que le propriétaire, qui est aussi le cuisinier, il en avait plein le cul. Si vous passez par là, rappelez-vous d'éviter ce Peppuccio. En somme,

pour être bref, à cinq heures moins dix, j'étais de nouveau dedans l'église. Cette fois, il y avait un peu de
monde, deux hommes et sept ou huit femmes. Tous
vieux. A cinq heures pile, le père Crucillà sortit de la
sacristie, regarda les paroissiens. J'eus l'impression
qu'il me cherchait des yeux. Puis il entra dans le
confessionnal et tira le rideau. Tout de suite, une femme
y alla, qui y resta minimum un quart d'heure. Mais
qu'est-ce qu'elle avait à raconter ?

— Sûrement rien, dit Montalbano. Elles vont se
confesser pour parler avec quelqu'un. Tu le sais bien
comment c'est, la vieillesse, non ?

— Alors, moi, je me levai et m'assis de nouveau sur
un banc près du confessionnal. Après la vieille, une autre
vieille y alla. Celle-là, il lui a fallu une vingtaine de
minutes. Quand elle a fini, ce fut à moi. Je m'agenouillai,
me fis le signe de croix et dis : « Don Crucillà, je suis la
personne envoyée par le commissaire Montalbano. » Il
ne répondit pas tout de suite, puis me demanda comment
je m'appelai. Je le lui dis et, lui : « Aujourd'hui, ça, on
ne peut pas le faire. Demain matin, avant la première
messe, tu reviens te confesser. — Excusez-moi, mais à
quelle heure est la première messe ? » je lui demandai,
moi. Et lui : « A six heures, tu dois venir à six heures
moins le quart. Tu dois dire au commissaire qu'il se
tienne prêt parce que la chose, nous la ferons sûrement
demain à la brune. » Après, il me dit encore : « Maintenant, tu te lèves, tu fais le signe de la croix, tu
retournes t'asseoir à la même place, tu récites cinq Ave
Maria et trois Pater Noster, tu te refais le signe de la
croix et tu t'en vas. »

— Et toi ?

— Qu'est-ce que je devais faire ? J'ai récité les cinq
Ave Maria et les trois Pater Noster.

— Comment ça se fait que tu n'es pas venu plus tôt, étant donné que tu t'en es débrouillé si vite ?

— La voiture me tomba en panne et je perdis du temps. Qu'est-ce qu'on fait ?

— Faisons comme veut le curé. Toi, demain matin, à six heures moins le quart, tu écoutes ce qu'il te dit et tu viens m'en référer. S'il a dit que ça peut se faire peut-être à la brune, ça veut dire pour les six heures et demie, sept heures du soir. Nous agirons en conséquence de ce qu'il te dira. On y va à quatre et avec une seule voiture, comme ça, on fait pas de bordel. Mimì, Gallo, toi et moi. On s'appelle demain, moi j'ai à faire.

Fazio sortit, Montalbano composa le numéro de la maison d'Ingrid.

— Tu palles que moi j'écoute, dit la voix aborigène de tout à l'heure.

— Qui palle est celui qui a pallé avant. Talibano, je suis.

Ça marcha à merveille. Ingrid répondit une demi-minute plus tard.

— Salvo, qu'y a-t-il ?

— Contrordre, je suis désolé. Demain soir, nous ne pourrons pas nous voir.

— Et quand, alors ?

— Après-demain.

— Je t'embrasse.

C'était tout Ingrid, ça. Montalbano l'estimait et l'ai-mait beaucoup : elle ne réclamait pas d'explications ; au reste, elle non plus n'en donnerait pas. Elle prenait seulement acte des situations. Jamais il n'avait vu une femme aussi femme qu'Ingrid qui, dans le même temps, n'était absolument pas femme.

« Du moins, si je m'en tiens aux idées que nous, les *masculiddri*, les petits mecs, on se fait des *fimminuzze*, les petites femmes », conclut en pensée Montalbano.

A la hauteur de la trattoria San Calogero, tandis qu'il marchait d'un pas pressé, il s'arrêta d'un coup comme font les *scecchi*, les ânes, quand ils décident pour ces mystérieuses raisons qui leur sont propres, de s'arrêter et de ne plus bouger, malgré les coups de fouet et de pied dans le ventre. Il regarda la montre. Il était à peine huit heures. Trop tôt pour aller manger. Mais la besogne qui l'attendait via Cavour serait longue, il allait certainement y passer la nuit entière. Peut-être qu'il pouvait commencer, puis s'interrompre vers dix heures... Mais s'il lui venait la pétit avant ?

— Qu'est-ce que vous faites, commissaire, vous vous adécidez ou vous vous adécidez pas ?

C'était Calogero, le propriétaire de la trattoria qui le regardait depuis le seuil. Il n'attendait que ça.

L'établissement était complètement vide, manger à huit heures du soir, c'était un truc de Milanais, les Siciliens commencent à prendre en considération l'idée de faire un repas après neuf heures.

— Qu'est-ce qu'on a de beau ?

— *Taliasse ccà*, regardez là, répondit Calogero avec orgueil, en lui montrant le comptoir réfrigéré.

La mort prend le poisson dans l'œil, elle le lui voile.

Ceux-là, en revanche, ils avaient les yeux vifs et brillants comme s'ils étaient encore en train de nager.

— Fais-moi quatre loups.

— Des pâtes, vous en voulez pas ?

— Non, qu'est-ce qu'il y a, comme hors-d'œuvre ?

— Des *purpiteddri* qui fondent en bouche. Pas besoin d'utiliser les dents.

C'était vrai. Les petits poulpes se dissolvaient dans la bouche, très tendrement. Avec les loups, après leur avoir versé quelques gouttes d'« assaisonnement du charretier », à savoir huile aromatisée à l'ail et au piment, il y alla tranquillement.

Le commissaire avait deux façons de manger le poisson. La première, qu'il utilisait à contrecœur et seulement quand il avait peu de temps, consistait à retirer les arêtes, rassembler dans l'assiette les seules parties comestibles et puis commencer à se les manger. La seconde, qui lui donnait beaucoup plus de satisfaction, consistait à se gagner chaque bouchée, en la décollant de l'arête sur le moment. Il lui fallait plus de temps, c'est vrai, mais justement ce supplément de temps, en un certain sens, lui servait d'estafette : durant le nettoyage de la bouchée déjà aromatisée, la cervelle mettait préventivement en action le goût et l'odorat, et ainsi il semblait que le poisson, il se le mangeait deux fois.

Quand il quitta la table, il était dans les neuf heures et demie. Il décida de se faire quelques pas sur le port. La vérité vraie était qu'il ne lui plaisait pas de voir ce qu'il s'attendait à voir via Cavour. Sur le paquebot pour Sampedusa, étaient en train d'embarquer quelques gros camions. Des passagers, peu, des touristes, pas un, ça n'était pas encore la saison. Il rousina une heure, puis se décida.

A peine entré dans l'appartement de Nenè Sanfilippo, il s'assura que les fenêtres étaient bien fermées et ne laissaient pas passer la lumière et puis il alla à la cuisine. Sanfilippo y conservait, entre autres, le nécessaire pour le café et Montalbano utilisa la cafetière la plus grande qu'il trouva, pour quatre tasses. Tandis que l'eau chauffait, il jeta un coup d'œil à l'appartement. A côté de l'ordinateur sur lequel avait besogné Catarella, étaient disposées des étagères pleines de disquettes, de CD-Rom, de compacts, de vidéocassettes. Catarella avait rangé les disquettes de l'ordinateur et avait glissé au milieu un feuillet sur lequel était écrit au feutre : DIS-QUETTES DÉGUEULASSES. Du matériel porno, donc. Les vidéos, il les compta, il y en avait trente. Quinze, ache-tées dans une quelconque sex-shop, présentaient des étiquettes colorées et des titres sans équivoque ; cinq en revanche avaient été enregistrées par le même Nenè et intitulées chacune d'un nom féminin différent, Laura, Renée, Paola, Giulia, Samantha. Les dix autres étaient, elles, des cassettes originales de films, tous rigoureuse-ment américains, avec des titres qui laissaient prévoir du sexe et de la violence. Il prit les cassettes aux pré-noms féminins et les emporta dans la chambre à cou-cher, où Nenè Sanfilippo gardait son téléviseur géant. Le café était passé, il en but une tasse, revint dans la chambre à coucher, ôta veste et chaussures, glissa dans le magnétoscope la première cassette qui lui tomba sous la main, *Samantha*, s'installa sur le lit en se pla-çant deux coussins derrière le dos et fit démarrer la bande pendant qu'il s'allumait une cigarette.

Le décor consistait en un lit à deux places, celui-là même sur lequel était étendu Montalbano. La prise de vues se déroulait dans un cadre fixe : la caméra se trou-vait encore placée sur la commode, prête pour une autre séance érotique qui n'aurait jamais lieu. En hauteur, juste au-dessus de la commode, il y avait deux projec-teurs qui, opportunément orientés, étaient mis en route au bon moment. La vocation de Samantha, rousse, un mètre cinquante-cinq environ, était tendanciellement acrobatique, elle s'agitait tant et prenait des positions si complexes que souvent, elle finissait hors champ. Nenè Sanfilippo, dans cette espèce de révision générale du Kama Sutra, semblait se trouver parfaitement à l'aise. Le son était très mauvais, les rares paroles s'enten-daient à peine mais, en compensation, les plaintes, les grognements, les soupirs et les gémissements montaient soudain à plein volume, comme il arrive à la télévision quand passe la publicité. La vision intégrale dura trois quarts d'heure. En proie à un ennui mortel, le commissaire mit une deuxième cassette, *Renée*. Il eut à peine le temps de noter que le décor était toujours le même et que Renée, une petite dans les vingt ans, très grande et très maigre, avec des nichons énormes était tout sauf épilée. Il n'avait pas envie de voir toute la cassette et il songea à presser, sur la télécommande, le bouton « avance rapide » pour sauter d'un passage à l'autre. Il y songea seulement parce que, à peine vit-il Nenè qui pénétrait Renée en levrette, qu'une irrésistible envie de dormir s'abattit sur sa nuque comme un coup de barre, lui ferma les yeux, l'obligea sans rémission à s'enfoncer dans un sommeil de plomb. Sa dernière pinsée fut qu'il n'y a pas de meilleur somnifère que la pornographie.

Il se réveilla d'un coup sans comprendre si c'était à cause des hurlements de Renée en proie à un orgasme tellurique ou bien par le fait des coups violents à la porte d'entrée mêlés au bruit ininterrompu de la sonnette. Que se passait-il ? Abruti de sommeil, il se leva, arrêta la bande et tandis qu'il se dirigeait vers la porte pour ouvrir tel qu'il était, décoiffé, en manches de chemise, le pantalon tombant (mais quand est-ce qu'il se l'était défait pour être plus à l'aise), pieds nus, il entendit une voix que, sur le moment, il ne reconnut pas, crier :

— Ouvrez ! Police !

Là, il fut définitivement perdu. Mais c'était pas lui, la police ?

Il ouvrit et fut saisi d'horreur. Le premier qu'il vit fut Mimì Augello en position réglementaire de tir (jambes fléchies, cul légèrement en arrière, bras tendus, les deux mains sur la crosse), derrière lui Mme Burgio Concetta veuve Lo Mascolo, et ensuite une foule qui se pressait tant sur le palier que dans les rampes de l'escalier conduisant aux étages supérieurs et inférieurs. D'un seul coup d'œil, il reconnut la famille Crucillà au complet (le père Stefano, retraité, en chemise de nuit, sa dame en peignoir de tissu éponge, la fille Samanta, sans le h, en T-shirt long provocant) ; M. Mistretta en caleçon, tricot de corps et, inexplicablement, sa sacoche noire et déformée à la main ; Pasqualino De Dominicis, le minot incendiaire, entre son petit papa Guido en pyjama et sa petite maman Gina dans un babydoll aussi vaporeux qu'antique.

A la vue du commissaire, deux phénomènes advinrent : le temps s'arrêta et chacun se pétrifia. Mme Burgio Concetta, veuve Lo Mascolo en profita pour improviser sur un ton dramatique un monologue didactique-explicatif.

— Sainte Marie, Sainte Marie, Sainte Marie, quelle grandissime frousse je me suis prise ! Tout juste j'étais endormie, quand tout à coup il me semble entendre la symphonie de quand le regretté était vivant ! La radasse qui faisait ah ah ah ah et *iddru ça faciva comu a un porcu*, celui-là qui faisait comme un porc ! Exactement pareil, itentiquement aux fois passées ! Mais comment, un fantôme qui revient dans *so'* maison, il y emmène aussi une putain ? Et il se met, sauf votre respect, à troncher comme s'il était vivant ? Glacée, j'étais ! Morte de trouille, j'étais ! Et comme ça je tilifonai aux gardes. Tout, je pouvais tout imaginer sauf qu'il s'agissait de M. le commissaire qui était venu à faire tranquillement ses affaires ici ! Tout, je pouvais m'imaginer !

La conclusion à laquelle était parvenue Mme Burgio

Concetta veuve Lo Mascolo, qui était la même pour tous les présents, se basait sur une logique en béton. Montalbano, déjà complètement pris par les Turcs, n'eut pas la force de réagir. Il resta sur le seuil, momifié. La réaction vint de Mimì Augello qui, ayant rangé le pistolet dans sa poche, d'une main repoussa violemment le commissaire en arrière, à l'intérieur de l'appartement, tandis qu'il se mettait à pousser des hurlements propres à provoquer la fuite immédiate des habitants de l'immeuble.

— Assez ! Allez dormir ! Circulez ! Il n'y a rien à voir !

Puis, une fois la porte fermée dans son dos, le visage *nìvuro*, sombre, il marcha sur le commissaire.

— Putain, mais qu'est-ce que tu t'es fourré dans la tronche de t'amener une bonne femme ici dedans ! Fais-la sortir, qu'on voie à l'évacuer de l'immeuble sans provoquer une autre révolution.

Montalbano ne répondit pas, alla dans la chambre à coucher suivi par Mimì.

— Elle s'est planquée dans la salle de bains ? demanda Augello.

Le commissaire fit repartir la bande, mais baissa le son.

— La voilà, la bonne femme, dit-il.

Et il s'assit sur le bord du lit. Augello regarda le téléviseur. Puis, d'un coup, il s'effondra sur une chaise.

— Comment j'ai fait pour ne pas y penser avant ?

Montalbano mit sur « arrêt image ».

— Mimì, la vérité est qu'aussi bien toi que moi, on a pris la mort des petits vieux et de Sanfilippo par-dessous la jambe, en négligeant certains trucs qu'il y avait à faire. On a peut-être la tête trop prise par d'autres pinsées. On s'occupe plus de nos affaires que des enquêtes. Affaire close. On repart. Tu t'es jamais demandé pourquoi

Sanfilippo avait conservé dans l'ordinateur la correspondance avec sa maîtresse ?

— Non, mais étant donné que lui, il besogne sur l'ordinateur…

— Mimì, tu as déjà reçu des lettres d'amour ?

— Bien sûr.

— Et qu'est-ce que tu en as fait ?

— Quelques-unes, je les ai conservées, d'autres non.

— Pourquoi ?

— Parce qu'il y en avait d'importantes que…

— Arrête-toi là. Tu as dit importantes. Pour ce qu'elles contenaient, naturellement, mais aussi pour la manière dont elles étaient écrites, pour la graphie, les erreurs, les omissions, les majuscules, les paragraphes, la couleur du papier, l'adresse sur l'enveloppe… En somme, en regardant cette lettre, il t'était facile d'évoquer la personne qui l'avait écrite. C'est vrai ou pas ?

— C'est vrai.

— Mais si toi, tu la transfères dans un ordinateur, cette lettre perd toute valeur, peut-être pas toute valeur, mais une bonne part. Elle perd aussi toute valeur de preuve.

— En quel sens, si tu permets ?

— Dans le sens que tu ne peux pas demander une expertise graphologique. Mais en tout cas, avoir une copie des lettres sortie de l'imprimante de l'ordinateur, c'est toujours mieux que rien.

— Je n'ai pas compris, excuse-moi.

— Supposons que la liaison qu'entretient Sanfilippo soit une liaison dangereuse, pas au sens Choderlos de Laclos, naturellement…

— Et qui c'est, ce Laclos ?

— Laisse tomber. Je disais dangereuse dans le sens que, si elle est découverte, ça peut tourner au vinaigre, par un zigouillage. Peut-être, aura pensé Sanfilippo,

162

que s'ils nous découvrent, la remise de la correspondance pourra nous sauver la vie. En bref, il met les lettres dans l'ordinateur et le paquet des originaux, il le laisse bien en évidence, prêt pour l'échange.

— Lequel, toutefois, n'a pas lieu, puisque les lettres originales ont disparu et qu'il a été tué pareil.

— Eh oui. Je me suis pirsuadé d'une chose, c'est que Sanfilippo, bien qu'il ait su courir un danger en nouant cette relation, a dû le sous-évaluer. J'ai l'impression, seulement l'impression, attention, qu'il ne s'agit pas seulement de la possible vengeance d'un mari cocu. Mais continuons. Je me suis dit : si Sanfilippo se prive des possibilités d'évocations suggérées par une lettre autographe, est-il possible qu'il n'ait pas même une photo, une image de sa maîtresse ? Et comme ça, j'ai repensé aux vidéos gardées ici.

— Et tu es venu les regarder.

— Oui, mais j'avais oublié qu'à la seconde où je regarde un film porno, il me vient l'envie de dormir. J'étais en train de regarder cet enregistrement qu'il a fait lui-même ici avec diverses bonnes femmes. Mais je pense pas qu'il soit idiot à ce point-là.

— Mais qu'est-ce que ça veut dire ?

— Ça veut dire qu'il a dû prendre des précautions pour éviter qu'un étranger découvre immédiatement qui elle est.

— Salvo, c'est peut-être la fatigue, mais…

— Mimì, les cassettes, il y en a une trentaine et il faut toutes les regarder.

— Toutes ?!

— Oui, et je t'explique pourquoi. Il y en a de trois types. Cinq enregistrées par Sanfilippo, qui illustrent ses entreprises avec cinq bonnes femmes différentes. Quinze sont des vidéos pornos achetées quelque part.

Dix sont des films américains. Il faut, comme je t'ai dit, les regarder toutes.

— J'ai toujours pas compris pourquoi il faut perdre ce temps. Sur les cassettes en vente sur le marché, aussi bien les films normaux que les films pornos, on ne peut pas enregistrer de nouveau.

— Et là, tu te trompes. On peut. Il suffit d'intervenir sur la cassette d'une certaine manière, je me le suis fait expliquer il y a un certain temps par Nicolò Zito. Tu vois, Sanfilippo peut avoir eu recours à ce système : il prend la bande d'un film, je sais pas, *Cléopâtre*, il la laisse défiler un quart d'heure, puis l'arrête et commence à enregistrer dessus ce qu'il veut. Qu'est-ce qui se passe ? Il se passe qu'un étranger met la cassette dans le magnétoscope, il se convainc qu'il s'agit du film *Cléopâtre*, il l'arrête, l'enlève et en met un autre. Et en fait, là, il y a justement ce qu'ils cherchaient. J'ai été clair ?

— Suffisamment, dit Mimì. Assez pour me convaincre de voir toutes les bandes. Peut-être en utilisant l'avance rapide, ce sera toujours long à faire.

— Arme-toi de patience, fut le commentaire de Montalbano.

Il se chaussa, se laça, passa sa veste.

— Pourquoi tu t'habilles ? demanda Augello.

— Parce que je rentre chez moi. Ici, tu vas rester, toi. D'ailleurs, tu t'es fait une idée de qui est la bonne femme, tu es le seul à pouvoir la reconnaître. Si tu la trouves dans une de ces bandes, et je suis sûr que tu vas la trouver, téléphone-moi à n'importe quelle heure. Amuse-toi bien.

Il sortit de la chambre sans qu'Augello ait ouvert la bouche.

Tandis qu'il descendait par l'escalier, il entendit aux différents étages, des portes qui s'ouvraient prudemment : les locataires du 44, via Cavour étaient restés réveillés, à attendre la sortie de la fougueuse femme qui avait baisé avec le commissaire. Ils y perdraient la nuit.

Sur la route, il n'y avait pas âme qui vive. Un chat sortit d'un porche, lui adressa un bonjour miaulant. Montalbano lui répondit d'un « salut, comment ça va ? ». Le chat se prit de sympathie pour lui et l'accompagna sur deux blocs d'immeubles. Puis il retourna en arrière. L'air de la nuit lui fit passer sa somnolence. Sa voiture était garée devant le commissariat. Un rai de lumière passait de sous la grande porte fermée. Il sonna, Catarella vint lui ouvrir.

— Qu'est-ce qui fut, *dottori* ? Vous avez abesoin de querque chose ?

— Tu dormais ?

A côté de l'entrée, on trouvait le standard et une minuscule chambrette avec un lit de camp, où l'homme de garde pouvait s'étendre.

— Oh que non, *dottori*, j'étais en train de résoluter des mots croisés.

— Ceux sur lesquels tu besognes depuis deux mois ?

Catarella eut un sourire orgueilleux.

— Oh que non, *dottori*, moi, ceux-là, je les ai résolutés. J'en ai commencé des nouveaux.

Montalbano entra dans son bureau. Sur la table de travail, il y avait un paquet, il l'ouvrit. Il contenait les photos de l'excursion à Tindari.

Il commença à les regarder. Tout le monde montrait des visages souriants, comme il se devait dans une expédition de ce genre. Des visages qu'il connaissait déjà pour les avoir vus au commissariat. Les seuls à ne pas sourire étaient les Griffo, qui ne figuraient que sur deux photos. Sur la première, il tenait la tête à demi tournée en arrière, en train de regarder à travers la vitre arrière. Elle, en revanche, fixait l'objectif avec un petit air hébété. Sur la deuxième, elle avait la tête penchée en avant et on ne voyait pas son expression, tandis que lui regardait fixement devant lui, d'un œil dépourvu de la moindre lueur.

Montalbano regarda de nouveau la première photographie. Puis il se mit à fouiller les tiroirs, toujours plus vite, au fur et à mesure qu'il ne trouvait pas ce qu'il voulait.

— Catarella !

Catarella se précipita.

— Tu en as une, de loupe ?

— Le truc qui fait voir les choses très grosses ?

— Oui, ce truc.

— Fazio peut-être bin qu'il en garde un dedans son bureau.

Il revint en la brandissant triomphalement.

— Je l'ai prise, *dottori*.

La voiture, photographiée à travers la lunette arrière, et qui restait très collée à l'autobus, était une Punto. Comme une des deux voitures de Nenè Sanfilippo. La plaque était visible, mais les chiffres et les lettres, Montalbano ne réussit pas à les lire. Pas même avec l'aide de la loupe. Peut-être qu'il était inutile de se faire des illusions, combien de Punto y avait-il, qui roulaient en Italie ?

Il glissa le cliché dans sa poche, salua Catarella, monta dans la voiture. Maintenant, il avait besoin d'un bon sommeil.

Onze

Il ne dormit presque pas, tout son sommeil consistait en trois petites heures de vire-tourne sur le lit, avec les draps qui s'entortillaient comme autour d'une momie. De temps en temps, il allumait la lumière et regardait la photo qu'il avait mise sur la table de nuit, comme s'il pouvait arriver le miracle que, tout d'un coup, sa vue devienne tellement perçante qu'il déchiffre le numéro de la plaque de la Punto qui roulait près de l'autocar. Il sentait, à vue de nez, comme un chien de chasse pointant le museau vers une touffe de sorgho, que là, était cachée une clé susceptible de lui ouvrir la bonne porte. Le coup de fil qui lui arriva vers six heures fut comme une libération. Ce devait être Mimì. Il souleva le combiné.

— *Dottore*, je vous réveille ?

Ce n'était pas Mimì, c'était Fazio.

— Non, Fazio, ne t'inquiète pas. Tu te confessas ?

— Oh que oui, *dottore*. Il me donna la pénitence habituelle, cinq Ave Maria et trois Pater Noster.

— Vous avez combiné quelque chose ?

— Oh que oui. La chose est confirmée, ça se fera à la brune. Donc, nous devons nous trouver…

167

— Attends, Fazio, n'en parle pas au téléphone. Va te reposer. On se voit au bureau vers les onze heures.

Il pensa que Mimì était en train de perdre le sommeil à regarder les cassettes de Nenè Sanfilippo. Mieux valait qu'il arrête et qu'il aille lui aussi s'offrir quelques petites heures à dormir. L'affaire qu'ils devaient affronter à la brune n'était pas à prendre à la légère : il fallait que tout le monde soit au mieux de sa forme. Eh oui, mais lui, il n'avait pas le numéro de Nenè Sanfilippo. Oh Seigneur, téléphoner à Catarella pour essayer de se le faire donner, parce qu'au commissariat, ce numéro, on devait bien l'avoir quelque part ? Hors de question. Fazio devait le connaître. Il rentrait chez lui et l'avait appelé de son portable. Eh oui, mais lui, il ne l'avait pas, le numéro de portable de Fazio. Et quant à trouver le numéro de Sanfilippo sur l'annuaire de Vigàta, tu pouvais toujours courir ! Il l'ouvrit à contrecœur et le parcourut de même. Le numéro y était. Mais pourquoi quand on cherche un numéro, on part toujours du principe qu'il n'est pas dans l'annuaire ? Mimì répondit à la première sonnerie.

— Qui est à l'appareil ?

Mimì avait répondu d'une voix basse et prudente. Evidemment, il lui était venu la pinsée que, téléphoner à cette heure ne pouvait être que le fait d'un ami de Sanfilippo. Par pure vacherie, Montalbano alla dans son sens. Il savait à merveille changer de voix, il s'en fit une de jeune agressif.

— Non, dis-le-moi, toi, qui est à l'appareil, connard.

— Tu me le dis toi, d'abord.

Mimì ne l'avait pas reconnu.

— Moi, je cherche Nenè. Passe-le-moi.

— Il n'est pas à la maison. Mais tu peux me le dire à moi, que je…

— Alors, si à la maison y a pas Nenè, ça veut dire qu'y a Mimì.

Montalbano entendit une litanie de jurons, puis la voix irritée d'Augello qui l'avait reconnu.

— Y a qu'un fondu comme toi qui peut se mettre dans la tronche de déconner à six heures du matin au téléphone. Mais qu'est-ce qui te prend ? Pourquoi tu vas pas te faire voir par un médecin ?

— T'as rien trouvé ?

— Rien. Si j'avais trouvé quelque chose, je t'aurais appelé, non ?

Augello était encore furieux de la blague.

— Ecoute, Mimì, comme ce soir on doit faire un truc important, j'ai pensé qu'il vaut mieux que tu laisses tomber et que t'ailles te reposer.

— Qu'est-ce qu'on doit faire ce soir ?

— Tout à l'heure, je te le dis. On va se voir au bureau à trois heures de l'après-midi. Ça va ?

— Ça va bien, oui. Parce que, à moi, à force de regarder ces bandes, y commence à me venir l'envie de me faire frère trappiste. Faisons comme ça : je m'en regarde encore deux et puis je rentre à la maison.

Le commissaire raccrocha et composa le numéro de son bureau.

— Allons allô ! Allons allô ! Le commissariat à l'appareil ! Qui c'est qui est en train de tilifoner ?

— Montalbano, je suis.

— En pirsonne, pirsonnellement ?

— Oui. Catarè, dis-moi un truc. Il me semble me rappeler que tu as un ami à la Scientifique de Montelusa.

— Oh que oui, *dottori*. Cicco De Cicco. C'est un qu'est grand, Napolitain dans le sens qu'il est de Salerne, une pirsonne vraiment brave. Imaginez-vous qu'un beau matin, y me tilifona pour me dire que…

S'il ne l'arrêtait pas tout de suite, celui-là, il était

capable de lui raconter vie, mort et miracles de l'ami Cicco De Cicco.

— Ecoute, Catarè, son histoire, tu me la raconteras après. A quelle heure il va au bureau, d'habitude ?

— Cicco y se pointe au bureau au lentour des neuves heures. Disons comme ça dans deux heures.

— Ce De Cicco, c'est celui du service photographique, pas vrai ?

— Oh que oui, *dottori*.

— Tu devrais me rendre un service. Téléphoner à De Cicco et te mettre d'accord avec lui. Dans la matinée, tu dois lui porter…

— Je peux rien y porter, *dottori*.

— Pourquoi ?

— Si vosseigneurie le veut, moi cette chose je la porte quand même, mais De Cicco, très sûrement, ce matin, là, il sera pas là. Il me le fit assavoir en pirsonne hier au soir quand il me tilifona.

— Et où il est ?

— A Montelusa. A la questure. Mais ils sont tous aréunis.

— Qu'est-ce qu'ils doivent faire ?

— M. le quisteur a fait venir de Rome un grand et granissime criminilologue qu'y doit leur donner la liçon.

— Une leçon ?

— Oh que oui, *dottori*. De Cicco m'a dit que la liçon c'est comme y doivent faire au cas qu'ils ont affaire à un pépé.

Montalbano fut saisi d'étonnement.

— Mais qu'est-ce que tu me racontes, Catarè !

— Je vous le jure, *dottori*.

A ce point, le commissaire eut un éclair de compréhension.

— Catarè, c'est pas un pépé, ça doit être la PPA. Ce

170

qui veut dire « profil probable de l'agresseur ». T'as compris ?

— Oh que non, *dottori*. Mais qu'est-ce que je devais lui porter, à De Cicco ?

— Une photo. J'avais besoin qu'il me fasse des agrandissements.

A l'autre bout du fil, il y eut un silence.

— Allô, Catarè, t'es encore là ?

— Oh, que oui, *dottori*, je suis pas en allé. Toujours là, je suis. Je suis en train d'aréfléchir.

Passèrent trois grosses minutes.

— Cataré, essaie de réfléchir vite.

— *Dottori*, la photo, si vosseigneurie me la porte, je la prends, vous voyez, et puis, vosseigneurie, y faut la faire scanner.

Montalbano sursauta.

— Pourquoi tu veux me faire canner ?

— Oh que non, *dottori*, je veux pas faire scanner vosseigneurie, mais scanner la photographie.

— Catarè, explique-moi, tu veux parler de l'ordinateur ?

— Oh que oui, *dottori*. Et si je la scanne pas moi, passqu'y faut vraimentement le bon scanneur, je la porte à un ami afiable.

— Très bien, merci. On se voit dans pas longtemps.

Il raccrocha et tout de suite, le téléphone sonna.

— Bingo ! Bingo !

C'était Mimì Augello, excité.

— J'ai mis en plein dans le mille, Salvo. Attends-moi. Dans un quart d'heure, je suis chez toi. Ton magnétoscope fonctionne ?

— Oui. Mais il est inutile de me le faire voir, Mimì. Tu sais que ces choses pornos, elles me font caguer et elles m'ensuquent.

— Mais c'est pas du porno, Salvo.

Il raccrocha et aussitôt le téléphone sonna.

— Enfin !

C'était Livia. Cependant ce « enfin ! » n'avait pas été dit avec joie, mais avec une froideur absolue. L'aiguille du baromètre personnel de Montalbano commença à osciller vers l'indication « orage ».

— Livia ! Quelle bonne surprise !

— Tu es sûr qu'elle est bonne ?

— Pourquoi elle devrait pas l'être ?

— Parce que ça fait plusieurs jours que je n'ai pas de tes nouvelles. Que tu ne daignes pas me passer un coup de fil ! Moi, je t'ai appelé et rappelé, mais tu n'es jamais à la maison.

— Tu pouvais m'appeler au bureau.

— Salvo, tu sais que je n'aime pas t'appeler là. Pour avoir de tes nouvelles, tu sais ce que j'ai fait ?

— Non. Dis-moi.

— J'ai acheté le *Giornale di Sicilia*. Tu l'as lu ?

— Non. Qu'est-ce qu'il y a dedans ?

— Que tu es aux prises avec trois meurtres en même temps, un couple de petits vieux et un garçon de vingt ans. Le journaliste laissait aussi entendre que tu ne sais pas où donner de la tête. En bref, il disait que tu déclines.

Ça, ça pouvait être une issue de secours. Se présenter comme un malheureux, dépassé par son temps, incapable presque de comprendre et de vouloir. Ainsi Livia se calmerait et peut-être même compatirait.

— Ah, ma Livia, comme c'est vrai ! Peut-être que je vieillis, peut-être que ma cervelle n'est plus celle d'autrefois…

— Non, Salvo, rassure-toi. Ta cervelle, c'est celle de toujours. Et tu es en train de m'en donner la preuve avec ton numéro de très mauvais acteur. Tu as envie d'être cajolé ? Je marche pas, tu sais ? Je te connais trop bien. Téléphone-moi. Dans le peu de temps libre qu'il te reste, naturellement.

Elle raccrocha. Comment se faisait-il que chaque conversation téléphonique avec Livia devait se conclure par une engueulade ? Continuer comme ça, ce n'était pas possible, il fallait absolument trouver une solution.

Il gagna la cuisine, remplit la cafetière, la mit sur le feu. Tandis qu'il attendait, il ouvrit la porte-fenêtre, sortit sur la véranda. Une journée à donner la pêche. Des couleurs claires et chaudes, la mer paresseuse. Il aspira profondément et à ce moment, le téléphone sonna de nouveau.

— Allô ! Allô !

Pas de réponse, mais le téléphone recommença à sonner. Comment était-ce possible, s'il tenait le combiné soulevé ? Puis il comprit : ce n'était pas le téléphone, mais la sonnette de la porte d'entrée.

C'était Mimì Augello, qui avait été plus rapide qu'un pilote de formule I. Il se tenait sur le pas de la porte sans se décider à entrer, avec un sourire qui lui fendait en deux le visage. A la main, il tenait une cassette vidéo et l'agitait sous le nez du commissaire.

— Tu as déjà vu *Getaway*, un film qui…

— Oui, je l'ai vu.

— Et ça t'a plu ?

— Assez.

— Cette version est meilleure.

— Mimì, tu te décides à entrer ? Suis-moi à la cuisine, que le café est prêt.

Il en versa une tasse pour lui et une pour Mimì qui l'avait suivi.

— Allons par là, dit Augello.

Il s'était sifflé la tasse d'une seule gorgée, en se brûlant certainement la gueule, mais il était trop pressé, il était impatient de montrer à Montalbano ce qu'il avait découvert et, surtout, de se glorifier de son intuition. Il était si excité en glissant la cassette qu'il faillit la faire entrer à l'envers. Il jura, la remit dans le bon sens, la fit partir. Après une vingtaine de minutes de *Getaway*, que Mimì fit passer à grande vitesse, cinq autres étaient effacées, on ne voyait que des points blancs sautillants et la bande-son grésillait. Mimì coupa complètement le son.

— Il me semble qu'ils ne parlent pas, dit-il.

— Qu'est-ce que ça veut dire, il te semble ?

— Tu sais, je ne l'ai pas regardée de bout en bout, la bande. Je l'ai picorée.

Puis une image apparut. Un lit à deux places couvert d'un drap immaculé, deux coussins disposés en dossier, dont l'un directement appuyé au mur vert clair. On voyait aussi deux tables de nuit très élégantes, en bois clair. Ce n'était pas la chambre à dormir de Sanfilippo. Pendant une autre minute, il ne comprit rien, mais il était clair qu'on était en train de régler la caméra en cherchant à faire le point, tout ce blanc était éclatant. Il y eut du noir. Puis revint le même cadre, mais plus serré, on ne voyait plus les tables de nuit. Cette fois, sur le lit, il y avait une petite d'une trentaine d'années, complètement nue, superbement bronzée, filmée en pied. L'épilation ressortait parce qu'à cet endroit, la peau était d'ivoire ; à l'évidence, elle avait été protégée des rayons du soleil par un string. Au premier coup d'œil, le commissaire eut une secousse. Il la connaissait, certainement ! Où s'étaient-ils rencontrés ? Une seconde après, il se corrigea, non, il ne la connaissait pas, mais il l'avait d'une manière ou d'une autre déjà vue. Sur une page de livre, dans une reproduction. Parce que la femme, les très longues jambes et le bassin sur le lit, le reste du corps relevé par les coussins, légèrement inclinée à gauche, les mains croisées derrière la tête, ressemblait comme deux gouttes d'eau à *La Maja desnuda* de Goya. Mais ce n'était pas seulement la position qui avait donné cette fausse impression à Montalbano : l'inconnue avait la même coiffure que la Maja, ici, la femme souriait à peine.

« Comme la Joconde », songea le commissaire, puisque maintenant, il était mis sur la piste des comparaisons picturales.

La caméra ne bougeait pas, elle semblait ensorcelée par l'image même qu'elle filmait. L'inconnue se tenait parfaitement à l'aise sur le drap et les oreillers, détendue, dans son élément. Une vraie femme de lit.

— C'est celle à qui tu as pensé en lisant les lettres ?

— Oui, répondit Augello.

Une seule monosyllabe peut-elle contenir tout l'orgueil du monde ? Mimì avait réussi à l'exprimer tout entier.

— Mais comment tu as fait ? Il me semble l'avoir déjà vue comme ça, au vol, quelquefois. Et toujours habillée.

— Tu vois, dans les lettres, il la peint. Mieux, même : il en fait un portrait, une gravure.

Pourquoi cette femme, quand on parlait d'elle, faisait-elle venir à l'esprit des choses d'art ?

— Par exemple, continua Mimì, il parle de la disproportion entre la longueur des jambes et celle du buste qui, regarde bien, devrait, en rapport, être un peu moins court que ce qu'il est. Et puis il décrit la coiffure, la forme des yeux…

— J'ai compris, dit Montalbano, saisi d'un élan d'envie.

Il n'y avait pas de doute, Mimì avait un œil spécial pour les femmes.

Cependant, la caméra avait zoomé sur les pieds, était très lentement remontée le long du corps en s'attardant légèrement sur le pubis, sur le nombril, sur les bouts des seins, s'était arrêtée sur les yeux.

Se pouvait-il que les pupilles de cette femme fussent allumées d'une lumière intérieure forte au point de rendre le regard luisant d'une phosphorescence hypnotique ? Qu'est-ce que c'était, cette fille, un dangereux animal nocturne ? Il regarda mieux et se rassura. Ce n'étaient pas des yeux de sorcière, les pupilles reflétaient la lumière des petits projecteurs utilisés par Nenè Sanfilippo pour mieux éclairer la scène. La caméra se déplaça vers la bouche. Les lèvres, deux flammes qui occupaient tout l'écran, bougèrent, s'ouvrirent, la pointe féline de la langue surgit, contourna d'abord la lèvre supérieure puis la lèvre inférieure. Aucune vulgarité, mais les deux hommes restèrent abasourdis par la violente sensualité du geste.

— Reviens en arrière et mets le son au maximum, dit soudain Montalbano.

— Pourquoi ?

— Elle a dit quelque chose, j'en suis sûr.

Mimì s'exécuta. A peine réapparu le cadrage de la bouche, une voix d'homme murmura quelque chose qu'on ne comprit pas.

— Oui, répondit distinctement la femme.

Et elle commença à se passer la langue sur les lèvres.

Donc, il y avait du son. Rarement, mais il y en avait. Augello le laissa à un volume élevé.

Puis la caméra descendit sur le cou, l'effleura comme une main amoureuse de gauche à droite et de droite à gauche, encore, encore, une caresse extatique. Et de fait, on entendit un léger gémissement.

— C'est la mer, dit Montalbano.

Détachant avec peine les yeux de l'écran, Mimì regarda son supérieur, étonné.

— Quoi ?

176

— Le bruit continu et rythmé qu'on entend. Ce n'est pas un bruissement, un bruit de fond. C'est la rumeur de la mer quand elle est assez grosse. La maison où ils tournent est juste au bord de la mer, comme la mienne.

Cette fois le regard de Mimì se chargea d'admiration.

— Quelle oreille fine tu as, Salvo ! Si c'est le bruit de la mer, alors, je sais où ils ont tourné ça.

Le commissaire se pencha en avant, prit la télécommande, rembobina.

— Mais comment ? protesta Augello. On continue pas ? Je t'ai bien dit que je l'ai juste survolée !

— Tu la verras en entier si tu es bien sage. En attendant, tu peux me résumer ce que tu as réussi à voir ?

— Ça continue comme ça. Les seins, le nombril, le ventre, le mont de Vénus, les cuisses, les jambes, les pieds. Puis elle se retourne et il se la repasse toute de derrière. A la fin, elle se remet sur le dos, s'étend mieux, se met un coussin sous les fesses et ouvre les jambes suffisamment pour que la caméra...

— Bon, bon, coupa Montalbano. Et il ne se passe rien d'autre ? L'homme, on ne le voit jamais ?

— Jamais. Et il ne se passe rien d'autre. C'est pour ça que je t'ai dit que ce n'était pas un truc porno-graphique.

— Non ?

— Non. Ce film est une poésie d'amour.

Il avait raison, Mimì, et Montalbano ne répliqua pas.

— Tu veux bien me présenter la dame ? demanda-t-il.

— Bien volontiers. Elle s'appelle Vania Titulescu, elle a trente ans, elle est roumaine.

— Réfugiée ?

— Nullement. Son père était, en Roumanie, ministre de la Santé. Elle-même, Vania, est docteur en médecine mais elle n'exerce pas ici. Son futur mari, qui était déjà une célébrité dans sa partie, avait été invité à Bucarest pour un cycle de conférences. Ils tombèrent amoureux, ou du moins, lui tomba amoureux d'elle, et il se l'emmena en Italie et la maria. Bien qu'il ait vingt ans de plus qu'elle. Mais la petite a saisi l'occasion au vol.

— Depuis quand ils sont mariés ?

— Depuis cinq ans.

— Tu me dis qui est le mari ? Ou l'histoire, tu veux me la raconter en feuilleton ?

— Le Pr Eugenio Ignazio Ingrò, le magicien des transplantations.

Un nom célèbre, il apparaissait dans les journaux, on le voyait à la télévision. Montalbano s'efforça de l'évoquer, il lui vint l'image floue d'un homme grand, élégant, peu causant. Il était vraiment considéré comme un chirurgien aux mains magiques, appelé à opérer dans toute l'Europe. Il avait aussi sa propre clinique à Montelusa, où il était né et où il résidait.

— Ils ont des enfants ?

— Non.

— Excuse-moi, Mimì, mais toutes ces informations, tu les as recueillies ce matin après que tu as vu la bande ?

Mimì sourit.

— Non, je me suis renseigné quand j'ai été pirsuadé que la femme des lettres, c'était elle. La bande n'a été que la confirmation.

— Qu'est-ce que tu sais d'autre ?

— Qu'ici, par chez nous, et précisément entre Vigàta et Santolì, ils ont une villa au bord de mer avec une petite plage privée. Certainement celle où ils ont tourné, en profitant d'un voyage du mari loin de Montelusa.

— Il est jaloux ?

— Oui. Mais pas de manière excessive. Peut-être aussi parce que, sur elle, je n'ai pas récolté d'histoires de cocufiage. Ils ont été très forts, Sanfilippo et elle, pour ne rien faire transparaître de leur relation.

— Je vais te poser une question plus précise, Mimì. Le Pr Ingrò, c'est une personne capable de tuer ou de faire tuer l'amant de sa femme s'il découvre une trahison ?

— Pourquoi tu t'adresses à moi ? C'est une question que tu devrais poser à Ingrid qui est ton amie. A propos, tu la vois quand ?

— Nous nous étions mis d'accord pour ce soir, mais j'ai dû renvoyer.

— Ah oui, tu m'as fait allusion à une histoire importante, une chose que nous devons faire à la brune. De quoi s'agit-il ?

— Je vais te le dire. La cassette tu la laisses ici, chez moi.

— Tu veux la faire voir à la Suédoise ?

— Bien sûr. Alors, pour conclure provisoirement l'affaire, toi, comment tu le vois le meurtre de Nenè Sanfilippo ?

— Et comment je dois le voir, Salvo ? Plus clair que ça… Le Pr Ingrò découvre d'une certaine manière l'intrigue et fait tuer le jeune.

— Et pourquoi pas elle, aussi ?

— Parce qu'il y aurait eu un scandale énorme, international. Et lui ne peut avoir la moindre ombre sur sa vie privée qui puisse entamer ses revenus.

— Mais il n'est pas riche ?

— Très riche. Du moins, il pourrait l'être, s'il n'avait pas une manie qui lui prend des montagnes de fric.

— Il joue ?

— Non, il ne joue pas. Peut-être à Noël, au sept et demi[1]. Non, il a la manie des tableaux. On dit que dans

---

1. Jeu de cartes traditionnellement pratiqué en famille ou entre amis pendant les fêtes de fin d'année. *(N.d.T.)*

les *cavò*, les caveaux d'un tas de banques, on conserve des tableaux qui lui appartiennent, d'une valeur énorme. Devant un tableau qui lui plaît, il ne tient pas. Il serait capable de le faire voler. Une mauvaise langue m'a dit que si le propriétaire d'un Degas lui proposait un échange avec Vania, sa femme, il accepterait sans hésitation. Qu'est-ce que tu as, Salvo ? Tu ne m'écoutes pas ?

Augello s'était aperçu que son chef avait la tête ailleurs. En effet, le commissaire était en train de se demander pourquoi, à l'instant où on nommait Vania Titulescu, pointait aussitôt une affaire concernant la peinture.

— Alors, il me semble comprendre, dit Montalbano, que d'après toi, l'homicide de Sanfilippo a le docteur pour commanditaire.

— Et qui d'autre, sinon ?

La pinsée du commissaire vola jusqu'à la photographie qui se trouvait encore sur la table de nuit. Mais cette pinsée, il la laissa aussitôt tomber, avant il devait attendre la réponse de Catarella, le nouvel oracle.

— Alors, tu me le dis, ce que nous devons faire ce soir ? demanda Augello.

— Ce soir ? Rin, nous allons prendre le petit-fils chéri de Balduccio Sinagra, Japichinu.

— Celui qui est en cavale ? demanda Mimì en bondissant sur ses pieds.

— Lui, oh que oui, monsieur.

— Et tu sais où il se planque ?

— Pas encore, mais un curé va nous le dire.

— Un curé ? Mais c'est quoi, cette histoire, merde ? Maintenant, tu vas me la raconter depuis le début, sans rien omettre.

Montalbano la lui raconta depuis le début, sans rien omettre.

— *Bedra Matre santissima !* Bonne mère très sainte ! commenta Augello à la fin, en se prenant la tête entre ses poings fermés.

On aurait dit une gravure d'un manuel du XIXᵉ siècle, avec la légende : ébahissement.

Douze

Catarella mata la photo d'abord comme font les myopes, en se la fourrant sous les yeux, puis comme font les presbytes, en la tenant au loin, de toute la longueur du bras.

— *Dottori*, avec le scanneur que j'ai sûrement de sûr, il y arrive pas. Il faut que je l'apporte à mon ami afiable.

— Combien de temps il faudra ?

— Deux heures maximum, *dottori*.

— Reviens dès que tu peux. Qui reste au standard ?

— Galluzzo. Ah, *dottori*, je voulais vous dire que le monsieur orphelin vous attend depuis ce matin, qu'il veut vous parler.

— Qui est cet orphelin ?

— Griffo, il s'appelle, celui à qui ils ont tué le père et la mère. Celui qui dit qu'il acomprend pas ce que je dis.

Davide Griffo était tout habillé de noir, en grand deuil. Décoiffé, les vêtements pleins de plis, l'air d'une personne épuisée. Montalbano lui tendit la main, l'invita à s'asseoir.

— On vous a fait venir pour la reconnaissance officielle ?

— Oui, malheureusement. Je suis arrivé à Montelusa hier tard après déjeuner. Ils m'ont emmené les voir. Après… après être revenu à l'hôtel, je me suis jeté sur le lit comme j'étais, tout habillé, je me sentais mal.

— Je comprends.

— Il y a du neuf, commissaire ?

— Rien encore.

Ils se regardèrent dans les yeux, navrés tous deux.

— Vous savez quoi ? dit Davide Griffo. Ce n'est pas par désir de vengeance que j'attends avec impatience que vous preniez les assassins. Je voudrais seulement réussir à comprendre pourquoi ils l'ont fait.

Il était sincère, lui aussi ignorait ce que Montalbano appelait la maladie secrète de ses parents.

— Pourquoi ils ont fait ça ? insista Davide Griffo. Pour voler le portefeuille de papa et le sac à main de maman ?

— Ah ! fit le commissaire.

— Vous ne le saviez pas ?

— Qu'ils avaient emporté le portefeuille et le sac à main ? Non. J'étais sûr qu'ils avaient retrouvé le sac à main sous le corps de la dame. Et je n'ai pas regardé dans les poches de votre père. Du reste, ni le sac ni le portefeuille n'auraient eu de l'importance.

— Vous pensez ça ?

— Certainement. Ceux qui ont tué vos parents nous auraient fait finalement retrouver le portefeuille et le sac à main dûment nettoyés de tout ce qui pourrait nous mettre sur leurs traces.

Davide Griffo se perdit dans un de ses souvenirs.

— Maman ne se séparait jamais de son sac, certaines fois, je me moquais d'elle. Je lui demandais quels trésors elle avait dedans.

Il fut pris d'un accès d'émotion soudaine, du fond de sa poitrine lui monta une espèce de sanglot.

— Excusez-moi. Comme ils m'ont restitué leurs affaires, leurs vêtements, la monnaie que papa avait en poche, les anneaux de mariage, les clés de la maison… Voilà, je suis venu vous trouver pour vous demander la permission… en somme, si je peux aller dans l'appartement, commencer l'inventaire…

— Qu'est-ce que vous voulez en faire, de l'appartement ? Ils en étaient propriétaires, n'est-ce pas ?

— Oui, ils l'avaient acheté au prix de beaucoup de sacrifices. Quand ce sera possible, je le vendrai. Désormais, je n'ai plus beaucoup de raisons de revenir à Vigàta.

Un autre sanglot réprimé.

— Vos parents avaient d'autres propriétés ?

— Rien de rien, pour autant que je sache. Ils vivaient de leurs retraites. Papa avait un livret des postes où il faisait verser sa retraite et celle de maman… Mais à la fin de chaque mois, il ne lui restait pas grand-chose à mettre de côté.

— Il ne me semble pas l'avoir vu, le livret.

— Il n'était pas là ? Vous avez bien cherché là où papa gardait ses papiers ?

— Il n'y était pas. Je les ai contrôlés moi-même soigneusement. Peut-être qu'ils l'ont emporté en même temps que le portefeuille et le sac à main.

— Mais pourquoi ? Qu'est-ce qu'ils en feraient, d'un livret des postes qu'ils ne peuvent pas utiliser ? C'est un bout de papier inutile !

Le commissaire se leva. Davide Griffo l'imita.

— Je n'ai rien contre le fait que vous alliez dans l'appartement de vos parents. Au contraire. Si vous trouvez, dans les papiers quelque chose qui…

184

Il s'interrompit d'un coup. Davide Griffo le fixa d'un air interrogateur.

— Excusez-moi un instant, dit le commissaire, et il sortit.

En jurant mentalement, il s'était rendu compte que les papiers des Griffo étaient restés au commissariat, où il les avait ramenés de chez lui. En fait, le sac poubelle en plastique était resté dans le débarras. Il lui parut grossier de remettre au fils les souvenirs familiaux là-dedans. Il remua de fond en comble le débarras, ne trouva rien qui pût servir, pas une boîte en carton, ni un sac plus décent. Il se résigna.

Davide Griffo posa sur Montalbano un regard ébahi tandis qu'il déposait à ses pieds le sac poubelle.

— Je l'ai pris chez vous pour y mettre les papiers. Si vous voulez, je vous le fait porter par un de mes…

— Non, merci. J'ai la voiture, dit l'autre, plein de réserve.

Il n'avait pas voulu le dire à l'orphelin, comme l'appelait Catarella (à propos, depuis quand était-il parti ?), mais une raison pour faire disparaître le livret des postes, il y en avait une. Une raison très solide : ne faire savoir à personne à combien s'élevait le dépôt sur le livret. Et la somme contenue dans le livret pouvait être le symptôme de cette maladie secrète pour laquelle était ensuite intervenu le médecin consciencieux. Une hypothèse, certes, mais qu'il était nécessaire de vérifier. Il téléphona au substitut Tommaseo, passa une demi-heure à abattre les résistances formelles que celui-ci lui opposait. Puis Tommaseo promit qu'il allait s'en occuper.

Le bâtiment de la Poste était à quelques pas du commissariat. Une construction horrible parce que, commencée dans les années quarante, quand s'imposait l'architecture fasciste, elle avait été terminée dans l'après-guerre, quand les goûts avaient été changés. Le bureau de M. le directeur était au deuxième étage, au fond d'un couloir absolument vide d'hommes et de choses, effrayant de solitude et d'abandon. Il frappa à une porte sur laquelle se trouvait fixé un rectangle de plastique qui portait l'inscription : « Directeur ». Sous le rectangle de plastique, il y avait cependant une feuille qui représentait une cigarette barrée par deux bandes rouges croisées. Au-dessous était écrit : « Il est sévèrement interdit de fumer ».

— Entrez !

Montalbano entra et la première chose qu'il vit fut une véritable banderole sur le mur, qui répétait : « Il est sévèrement interdit de fumer. »

« Ou vous aurez affaire à moi », semblait dire le président de la République qui lançait un regard torve depuis son portrait sous la banderole.

Plus bas encore, il y avait un grand siège à haut dossier sur lequel était assis le directeur, le chev. Morasco Attilio. Devant le chevalier Morasco se trouvait un bureau gigantesque, complètement couvert d'un amas de papiers. M. le directeur était un nain qui ressemblait au regretté roi Victor-Emmanuel III, avec les cheveux coupés à l'humbertienne qui lui faisaient une tête comme celle d'Humbert Ier et des moustaches en guidon de vélo comme celles de celui qu'on appelait le Roi galant homme. Le commissaire eut la certitude absolue de se trouver devant un descendant des Savoie, un bâtard, comme le Roi galant homme en avait tant semé.

Sur une inspiration, il lui demanda en le regardant droit dans les yeux :

— Vous êtes piémontais ?

L'autre fut ébahi.

— Non, pourquoi ? Je suis de Comisini.

Il pouvait être de Comisini, de Paternò ou de Raffadali, Montalbano ne lâcha pas la conception qu'il s'en était fait.

— Vous êtes le commissaire Montalbano, pas vrai ?

— Oui. Le substitut Tommaseo vous a téléphoné ?

— Oui, admit le directeur à contrecœur. Mais un coup de fil est un coup de fil. Vous me comprenez ?

— Bien sûr que je vous comprends. Pour moi, par exemple, « une rose est une rose est une rose ».

Le chevalier Morasco ne fut pas impressionné par la docte citation de Mme Stein.

— Je vois que nous sommes d'accord, dit-il.

— Dans quel sens, excusez-moi ?

— Dans le sens que *verba volant et scripta manent*.

— Vous pouvez mieux vous expliquer ?

— Certainement. Le substitut Tommaseo m'a téléphoné en me disant que vous êtes autorisé à faire une enquête sur le livret postal du défunt M. Griffo Alfonso. D'accord, je le considère, comment dire, comme un préavis. Mais tant que je ne recevrai pas de demande ou d'autorisation écrite, je ne puis vous permettre d'enfreindre le secret postal.

Ces paroles le gonflèrent à tel point que Montalbano manqua s'envoler.

— Je repasserai.

Et il fit mine de se lever. Le directeur l'arrêta d'un geste.

— Attendez. Il y aurait une solution. Je pourrais avoir un document d'identité ?

Le péril de décollage s'aggrava. D'une main, Montalbano s'agrippa au siège sur lequel il était assis et de l'autre, lui tendit sa carte.

Le bâtard de Savoie l'examina longuement.

— Après le coup de fil du substitut, j'ai imaginé que

vous alliez vous précipiter ici. Et je vous ai préparé une déclaration, que vous signerez, dans laquelle il est dit que vous me déchargez de toute responsabilité.

— Je vous décharge volontiers, dit le commissaire.

Il signa, sans la lire, la déclaration, remit la carte dans sa poche. Le chevalier Morasco se leva.

— Attendez-moi. Il va falloir une dizaine de minutes.

Avant de sortir, il se tourna et montra la photo du président de la République.

— Vous avez vu ?

— Oui, dit, ébahi, Montalbano. C'est Ciampi.

— Je ne faisais pas allusion au président, mais à ce qui est écrit au-dessus. In-ter-dit-de-fu-mer. J'insiste, ne profitez pas de mon absence.

A peine la porte fermée, il fut pris d'une violente envie de fumer. Mais c'était interdit et, justement, parce que, comme il est connu, la tabagie passive provoque des millions de morts, tandis que le smog, la dioxine et le plomb dans l'essence, non. Il se dressa, sortit, descendit au rez-de-chaussée, eut l'occasion de voir trois employés qui fumaient, se plaça sur le trottoir, se fuma trois cigarettes d'affilée, rentra, les employés qui fumaient étaient encore quatre, il grimpa l'escalier à pied, refit le couloir désert, rouvrit sans frapper la porte du bureau du directeur, entra. Le chevalier Morasco était assis à sa place et il le regarda avec désapprobation, en secouant la tête. Montalbano rejoignit sa chaise avec l'air coupable qu'il prenait en arrivant en retard à l'école.

— Nous avons le listing, annonça, solennel, le directeur.

— Je pourrais le voir ?

Avant de le lui donner, le chevalier vérifia qu'il y avait toujours sur le bureau la décharge signée par le commissaire.

Lequel commissaire ne comprit rien, peut-être parce que le chiffre qu'il lut à la fin était hors de propos.

— Vous m'expliquez ? demanda-t-il, toujours sur le ton qu'il avait à l'école.

Le directeur se pencha en avant, en se couchant pratiquement sur le bureau, et lui arracha la feuille des mains.

— Tout cela est très clair ! dit-il. Du listing, il appert que la retraite des époux Griffo s'élevait à un total de trois millions par mois, se répartissant entre un million huit cent mille pour lui et un million deux cent mille pour elle. M. Griffo, au moment du recouvrement, retirait sa pension au comptant pour les besoins du mois et laissait en dépôt la retraite de sa femme. Tel était le fonctionnement général. Avec quelques rares exceptions, naturellement.

— Mais même en admettant qu'ils étaient si économes et serrés, raisonna le commissaire à haute voix, les comptes ne tombent pas juste de toute façon. Il me semble avoir vu que, dans ce livret, il y a presque cent millions !

— Vous avez vu juste. Pour l'exactitude, quatre-vingt-dix-huit millions et trois cent mille lires. Mais il n'y a rien d'extraordinaire.

— Non ?

— Non, parce que depuis deux ans, M. Griffo Alfonso versait ponctuellement, chaque début de mois, toujours le même chiffre : deux millions[1]. Ce qui fait au total quarante-huit millions qui vont s'ajouter aux économies.

— Et où est-ce qu'il les prenait, ces deux millions par mois ?

— Ne me le demandez pas à moi, dit, offensé, le directeur.

— Merci, dit Montalbano en se levant.

1. Deux millions de lires, soit plus ou moins 1000 euros. (N.d.T.)

Et il tendit la main.

Le directeur se leva, contourna son bureau, toisa le commissaire et lui serra la main.

— Vous pouvez me donner le listing ? demanda Montalbano.

— Non, répondit sèchement le bâtard de Savoie.

Le commissaire sortit du bureau et, à peine sur le trottoir, s'alluma une cigarette. Il avait mis dans le mille, ils avaient fait disparaître le livret parce que ces quarante-huit millions étaient le symptôme de la maladie mortelle des Griffo.

Une dizaine de minutes après son retour au bureau, arriva Catarella avec un visage désolé post-Waterloo. Il avait la photo en main et la posa sur le bureau.

— Même avec le scanneur de l'ami afiable, j'y suis pas arrivé. Si vosseigneurie le veut, je la porte à Cicco De Cicco passque ce truc avec le criminilologique, ils le font demain.

— Merci, Catarè, je vais la lui porter moi-même.

« Salvo, mais pourquoi tu apprends pas à utiliser un ordinateur ? » lui avait un jour demandé Livia. Et d'ajouter : « Si tu savais combien de problèmes tu pourrais résoudre ! »

Voilà, en attendant l'ordinateur n'avait pas pu résoudre ce petit problème, il lui avait seulement fait perdre du temps. Il se repromit de le dire à Livia, comme ça, histoire de maintenir la polémique.

Il se glissa la photo dans la poche, sortit du commissariat, monta en voiture. Mais il décida de passer par la via Cavour avant d'aller à Montelusa.

— M. Griffo est en haut, l'avertit la gardienne.

Davide Griffo vint lui ouvrir en manches de chemise, balai en main.

— Il y avait trop de poussière.

Il le fit asseoir dans la salle à manger. Sur la table, il

y avait, entassés, les papiers que le commissaire lui avait donnés un peu avant. Griffo intercepta son coup d'œil.

— Vous avez raison, vous, commissaire. Le livret n'est pas là. Vous vouliez me dire quelque chose ?

— Oui. Que je suis allé à la Poste et je me suis fait dire à combien s'élevait la somme que vos parents possédaient sur leur livret.

Griffo eut un geste comme pour dire que ça ne valait même pas la peine d'en parler.

— Trois sous, n'est-ce pas ?

— Pour l'exactitude, quatre-vingt-dix-huit millions et trois cent mille lires.

Davide Griffo blêmit.

— Mais c'est une erreur ! balbutia-t-il.

— Aucune erreur, croyez-moi.

Davide Griffo, les genoux flageolants, s'écroula sur un siège.

— Mais comment est-ce possible ?

— Depuis deux ans, votre père versait deux millions par mois. Vous avez une idée de qui pouvait lui donner cet argent ?

— Pas la moindre ! Ils ne m'ont jamais parlé de ces revenus supplémentaires. Et moi, je n'arrive pas à y comprendre quelque chose. Deux millions net par mois, ça fait un salaire respectable. Et qu'est-ce qu'il pouvait faire, mon père, vieux comme il était, pour se les gagner ?

— Il n'est pas dit que ce soit un salaire.

Davide Griffo blêmit encore davantage, de la confusion, il parut passer nettement à la frayeur.

— Vous pensez qu'il peut y avoir un rapport ?

— Entre les deux millions mensuels et l'assassinat de vos parents ? C'est une possibilité à prendre sérieusement en considération. Ils ont fait disparaître le livret

191

justement pour ça, pour éviter que nous pensions à un rapport de cause à effet.

— Mais si ce n'était pas un salaire, qu'est-ce que c'était ?

— Bah, fit le commissaire. Je fais une supposition. Mais avant, je dois vous demander quelque chose et je vous prie d'être sincère. Votre père aurait-il fait, pour de l'argent, une malhonnêteté ?

Davide Griffo ne répondit pas tout de suite.

— C'est difficile de juger comme cela… Je pense que non, qu'il ne l'aurait pas fait. Mais il était, comment dire, vulnérable.

— En quel sens ?

— Maman et lui étaient très attachés à l'argent. Alors, quelle est la supposition ?

— Par exemple, que votre père aurait pu jouer les prête-noms de quelqu'un qui s'occupait de quelque chose d'illicite.

— Papa ne s'y serait pas prêté.

— Même si la chose lui avait été présentée comme licite ?

Cette fois, Griffo ne répondit pas. Le commissaire se leva.

— S'il vous vient à l'esprit une explication possible…

— Bien sûr, bien sûr, dit Griffo, l'air distrait.

Il accompagna Montalbano à la porte.

— Ça me rappelle une chose que maman m'a dite l'année dernière. J'étais venu les voir et maman m'a dit à voix basse, à un moment où papa n'était pas là : « Quand nous ne serons plus là, tu auras une belle surprise. » Mais maman, la pauvrette, quelquefois, elle n'avait pas toute sa tête. Elle n'est pas revenue sur le sujet. Et moi, je l'ai complètement oublié.

192

Arrivé à la questure de Montelusa, il fit appeler Cicco De Cicco par le standardiste. Il n'avait aucune envie de rencontrer Vanni Arquà, le chef de la Scientifique qui avait remplacé Jacomuzzi. Ils se trouvaient mutuellement 'ntipathiques. De Cicco arriva en courant, se fit donner la photo.

— Je craignais pire, dit-il en la détaillant. Catarella m'a dit qu'ils ont essayé avec l'ordinateur, mais...

— Tu réussirais à me donner le numéro de la plaque ?

— Je crois que oui, *dottore*. Ce soir, de toute façon, je vous passe un coup de fil.

— Si tu ne me trouves pas, laisse l'information à Catarella. Mais fais attention qu'il écrive les chiffres et les lettres correctement, autrement il risquerait de nous sortir une plaque du Minnesota.

Sur la route du retour, il se sentit quasiment obligé de s'arrêter entre les branches de l'olivier sarrasin. Il avait besoin d'une pause de réflexion : une vraie, pas une de celles que les politiques appellent ainsi, pause de réflexion, celle qui est en fait une chute dans un coma profond. Il se mit à cheval sur la branche habituelle, appuya son dos au tronc, s'alluma une cigarette. Mais aussitôt, il se sentit assis de manière malcommode, il ressentait la pénible pression des nœuds et des piquants à l'intérieur des cuisses. Il eut une étrange sensation, comme si l'olivier ne le voulait pas installé là, comme s'il s'arrangeait pour le faire changer de position.

— Il me vient de ces conneries en tête !

Il résista un moment, puis ne tint plus et descendit de la branche. Il alla prendre un journal dans la voiture, revint sous l'arbre, étala les pages et s'étendit après avoir retiré sa veste.

Observé d'en dessous, sous cet angle, l'olivier paraissait plus grand et plus emmêlé. Il vit la complexité de la frondaison qu'il n'avait pu distinguer quand il était installé à l'intérieur. Quelques mots lui vinrent à l'esprit. « Il y a un olivier sarrasin, grand… avec lequel j'ai tout résolu. » Qui les avait prononcés ? Et qu'avait résolu l'arbre ? Puis sa mémoire fit le point. Ces mots, c'était Pirandello qui les avait dits à son fils, quelques heures avant de mourir. Et ils se référaient aux *Géants de la montagne*, l'œuvre inachevée.

Une demi-heure durant, il resta couché ainsi sur le dos, sans jamais détacher son regard de l'arbre. Et plus il le matait, plus l'olivier lui expliquait, lui racontait comment le jeu du temps l'avait tordu, lacéré, comment l'eau et le vent l'avaient obligé, année après année, à prendre cette forme qui n'était ni le fruit du hasard ni celui d'un caprice, mais celui de la nécessité.

Son œil s'arrêta sur trois grosses branches qui, sur un court trajet, s'élançaient presque en parallèle, avant que chacune se lance dans sa fantaisie personnelle de zigzags soudains, de retour en arrière, de progression sur le côté, de déviations, d'arabesques. Une des trois, celle du milieu, apparaissait légèrement plus basse par rapport aux deux autres, mais avec ses rameaux tordus, elle s'agrippait aux deux branches du dessus, comme si elle voulait les garder liées à elle durant tout le trajet qu'elles avaient en commun.

En bougeant la tête pour regarder avec une attention maintenant plus vive, Montalbano s'aperçut que les trois branches ne naissaient pas indépendantes et très proches l'une de l'autre, mais qu'elles prenaient leur origine au même point, une espèce de gros bubon rugueux qui surgissait du tronc.

Ce fut sans doute un léger souffle de vent qui bougea les feuilles. Un rayon de soleil soudain donna en plein dans l'œil du commissaire, l'aveuglant. Paupières serrées, Montalbano sourit.

Quelle que soit l'information que lui communiquerait De Cicco en soirée, maintenant, il était certain que le chauffeur de la voiture qui suivait l'autocar, était Nenè Sanfilippo.

Ils étaient postés derrière un buisson de prunellier, le pistolet prêt à tirer. Le père Crucillà avait indiqué cette maison de paysan paumée dans la campagne comme le refuge secret de Japichinu. Mais le curé, avant de les laisser, avait tenu à préciser qu'il fallait y aller sur la pointe des pieds, il n'était pas sûr que Japichinu fût disposé à se rendre sans réagir. Surtout, il était armé d'une mitraillette et, en bien des occasions, il avait démontré savoir s'en servir.

Le commissaire avait donc décidé de procéder dans les règles, Fazio et Gallo avaient été envoyés sur l'arrière de la maison.

— Maintenant, ils doivent être en position, dit Mimì.

Montalbano ne répondit pas, il voulait donner à ses hommes le temps nécessaire pour choisir le bon endroit où se poster.

— J'y vais, dit Augello, impatient, toi, couvre-moi.

— Bon, d'accord, consentit le commissaire.

Mimì commença à ramper lentement. S'il n'y avait eu la lune, sa progression aurait été invisible. La porte de la maison de paysan, étrangement, était grande ouverte. Etrangement, non, à y repenser : Japichinu voulait certainement donner l'impression que la maison était abandonnée, mais en réalité, lui, il se trouvait planqué à l'intérieur, mitraillette en main.

Devant la porte, Mimì se releva à moitié, s'arrêta sur le seuil, passa la tête à l'intérieur pour regarder. Puis, d'un pas léger, il entra. Il reparut au bout de quelques minutes et agita un bras en direction du commissaire.

— Il n'y a personne, ici, dit-il.

« Mais où a-t-il la tête ? se demanda Montalbano, nerveux. Il ne comprend pas qu'il peut être à portée de tir ? »

Et à ce moment, tandis qu'il sentait la terreur le glacer, il vit le canon d'une mitraillette sortir du fenestron qui se trouvait à la perpendiculaire au-dessus de la porte. Montalbano bondit sur ses pieds.

— Mimì ! Mimì ! cria-t-il.

Et il s'interrompit, parce qu'il lui sembla qu'il chantait *La Bohème*.

La mitraillette tira et Mimì tomba.

La rafale qui avait abattu Augello réveilla le commissaire.

Il était toujours recroquevillé sur les feuilles du journal, sous l'olivier sarrasin, trempé de sueur. Un million de fourmis au moins avaient pris possession de son corps.

Treize

Peu nombreuses, et à première vue inessentielles, apparurent les différences entre le rêve et la réalité. La petite maison de paysan perdue que le père Crucillà avait désignée comme le refuge secret de Japichinu, était comme celle que le commissaire avait rêvée, sauf que celle-là, au lieu d'un fenestron, avait un petit balcon à la fenêtre ouverte au-dessus de la porte elle aussi ouverte.

A la différence de ce qui s'était passé dans le rêve, le curé ne s'était pas éloigné en hâte.

— De moi, avait-il dit, on peut toujours avoir besoin.

Et Montalbano avait prononcé les conjurations mentales qui s'imposaient. Le père Crucillà, accroupi derrière une énorme touffe de sorgho en compagnie du commissaire et d'Augello, secoua la tête, l'air inquiet.

— Qu'est-ce qu'il y a ? demanda Montalbano.

— Je ne suis pas convaincu par la porte et le balcon. Les fois où je suis venu le trouver, tout était fermé et il fallait frapper. Prudence, j'insiste. Je ne peux pas jurer que Japichinu soit disposé à se laisser prendre. Il garde sa mitraillette à portée de la main et il sait s'en servir.

Quand il fut certain que Fazio et Gallo avaient rejoint

197

leurs positions derrière la maison, Montalbano regarda Augello.

— Maintenant, j'y vais, et tu me couvres.

— C'est quoi, cette nouveauté ? réagit Mimì. On a toujours fait le contraire.

Il ne pouvait pas lui dire qu'il l'avait vu mourir en rêve.

— Cette fois, on change.

Mimì ne répliqua pas, il se campa sur le sol, .38 au poing, il savait reconnaître, au ton de la voix du commissaire, quand on pouvait discuter et quand on pouvait pas.

La nuit n'était pas encore tombée. Il régnait la lumière grise qui précède l'obscurité, et permettait de distinguer les silhouettes.

— Comment ça se fait qu'il a pas allumé la lumière ? demanda Augello en montrant du menton la maison obscure.

— Peut-être qu'il nous attend, dit Montalbano.

Et il se mit debout, à découvert.

— Qu'est-ce tu fais ? Qu'est-ce que tu fais ? dit Mimì à voix basse en essayant de l'agripper par la veste pour le tirer en arrière.

Puis aussitôt, lui vint une pinsée qui l'atterra.

— Tu l'as, ton pistolet ?

— Non.

— Prends-toi le mien.

— Non, répéta le commissaire en avançant de deux pas.

Il s'arrêta, mit les mains en porte-voix.

— Japichinu ! Montalbano, je suis. Et je suis désarmé.

Il n'y eut pas de réponse. Le commissaire avança un peu, tranquille, comme s'il se promenait. A trois mètres environ de la porte, il s'arrêta de nouveau et dit, d'une voix simplement plus haute que la normale :

— Japichinu ! Maintenant, j'entre. Comme ça on pourra parler en paix.

Pas de réponse, personne ne bougeait. Montalbano leva les mains et entra dans la maison. Il y régnait une obscurité épaisse, le commissaire se déplaça un peu sur le côté pour ne pas se détacher dans l'embrasure de la porte. Et ce fut alors qu'il la sentit, l'odeur que tant de fois il avait sentie, chaque fois en éprouvant une légère sensation de nausée. Avant même d'allumer la lumière, il savait ce qu'il allait voir. Sur ce qui semblait une couverture rouge et qui, en fait, était son sang, Japichinu se trouvait au milieu de la chambre, la gorge tranchée. On avait dû le prendre en traître, tandis qu'il tournait le dos à son assassin.

— Salvo ! Salvo ! Qu'est-ce qui se passe ?

C'était la voix de Mimì Augello. Montalbano revint sur le seuil.

— Fazio ! Gallo ! Mimì ! Venez !

Ils arrivèrent en courant, le curé en dernier, hors d'haleine. Puis, à la vue de Japichinu, ils furent paralysés. Le premier à bouger fut le père Crucillà qui s'agenouilla à côté de l'assassiné, sans prendre garde au sang qui lui souillait la soutane, le bénit et commença à murmurer des prières. Mimì, lui, toucha le front du mort.

— On a dû le tuer y a pas deux heures.

— Et maintenant, qu'est-ce qu'on fait ? demanda Fazio.

— Vous montez tous les trois dans une voiture et vous vous en allez. A moi, vous me laissez l'autre, je reste bavarder un peu avec le curé. Dans cette maison, nous n'avons pas mis les pieds, Japichinu mort, on ne l'a pas vu. De toute façon, ici, nous sommes abusifs, et hors de notre territoire. Et nous pourrions avoir du tracassin.

— Mais… tenta de dire Augello.

— Mais mon cul. On se voit plus tard au bureau.

Ils sortirent comme des chiens battus, ils obéissaient à contrecœur. Le commissaire les entendit causer d'abondance tandis qu'ils s'éloignaient. Le curé était perdu dans ses prières. Il en avait à réciter, des Ave Maria, des Pater Noster et des Requiem Eternam, avec tout le fardeau de meurtres que Japichinu se trimbalait, où qu'il fût en train de planer en ce moment. Montalbano monta l'escalier de pierre qui conduisait à la pièce de l'étage, alluma la lumière. Il y avait deux lits de camp avec chacun juste un matelas, une table de chevet au milieu, une *armùar*[1] en mauvais état, deux chaises en bois. Dans un coin, un petit autel votif, fait d'un guéridon couvert d'une nappe blanche brodée. Sur l'autel se trouvaient trois statuettes : la Vierge Marie, le Cœur de Jésus et saint Calogero. Chaque statuette avait devant elle son lumignon allumé. Japichinu était un garçon pieux, comme le soutenait le grand-père Balduccio, au point qu'il avait même un père spirituel. Sauf que le jeune aussi bien que le curé prenaient la superstition pour de la religion. Comme la plus grande partie des Siciliens, du reste. Le commissaire se souvint d'avoir vu, une fois, un grossier ex-voto des premières années du siècle. Il représentait un *viddrano*, un paysan, qui s'enfuyait suivi par deux carabiniers à plumet. En haut, à droite, la Madone se penchait dans les nuages, indiquant au fugitif la meilleure voie à suivre. Le tableau contenait l'inscription : « *Per esere scappato ai riggori di la liggi* », pour avoir échapé (*sic*) aux rigueurs de la loi. Sur un des lits, il y avait, en travers, une kalachnikov. Il éteignit la lumière, sortit, se prit une des deux chaises, s'assit.

— Père Crucillà.

1. Prononcer « armouare ». (*N.d.T.*)

Le curé, qui priait encore, se secoua, leva les yeux.

— Eh ?

— Prenez une chaise et asseyez-vous, il faut qu'on parle.

Le curé obéit. Il était congestionné, il suait.

— Comment je vais faire pour donner cette nouvelle à don Balduccio ?

— Ça ne sera pas nécessaire.

— Pourquoi ?

— A cette heure, on le lui a déjà annoncé.

— Et qui ?

— L'assassin, naturellement.

Le père Crucillà eut du mal à comprendre. Il gardait les yeux fixés sur le commissaire et bougeait les lèvres mais sans prononcer un mot. Puis il saisit, écarquillant les yeux, il bondit sur la chaise, recula, glissa sur le sang, réussit à se tenir droit.

« Ce coup-là, il se fait une attaque et il meurt », pinsa, inquiet, Montalbano.

— Au nom de Dieu, que dites-vous ! haleta le curé.

— Je dis ce qui est.

— Mais Japichinu, il était recherché par la police, les carabiniers, la Digos[1] !

— Qui, en général, n'égorgent pas ceux qu'ils doivent arrêter.

— Et la nouvelle mafia ? Les Cuffaro eux-mêmes ?

— Curé, vous ne voulez pas comprendre qu'aussi bien vous que moi, nous avons été baisés par ce renard de Balduccio Sinagra.

— Mais quelles preuves avez-vous pour insinuer…

— Revenez vous asseoir, je vous prie. Vous voulez un peu d'eau ?

Padre Crucillà fit signe que oui avec la tête. Montalbano

---

1. Police politique. *(N.d.T.)*

prit un *bùmmolo*[1] contenant de l'eau, gardée bien fraîche, et le tendit au curé qui y colla les lèvres.

— Des preuves, je n'en ai pas et je n'en aurai jamais.

— Et alors ?

— Répondez-moi d'abord, à moi. Japichinu n'était pas seul, ici. Il avait un garde du corps qui, même la nuit, dormait près de lui, pas vrai ?

— Oui.

— Comment s'appelle-t-il, vous le savez ?

— Lollò Spadaro.

— C'était un ami de Japichinu ou un fidèle de Balduccio ?

— De don Balduccio. C'était lui qui avait voulu que ça se passe ainsi. A Japichinu, il était même 'ntipathique, mais il me dit qu'avec Lollò, il se sentait tranquille.

— Tellement tranquille que Lollò a pu le tuer sans problème.

— Mais comment pouvez-vous penser une chose pareille ! Peut-être qu'ils ont égorgé Lollò avant d'en faire autant avec Japichinu !

— Dans la pièce à l'étage, il n'y a pas de cadavre de Lollò. Et pas non plus dans celle-ci.

— Peut-être qu'il est dehors, près de la maison !

— Bien sûr, nous pourrions le chercher, mais c'est inutile. Vous oubliez que mes hommes et moi avons encerclé la maison, nous avons regardé attentivement dans les environs. Nous ne sommes pas tombés sur le corps de Lollò.

Le père Crucillà se tordait les mains. La sueur gouttait de son front.

— Mais pourquoi don Balduccio aurait joué cette comédie ?

— Il nous voulait comme témoins. D'après vous,

---

1. Cruche traditionnelle. *(N.d.T.)*

une fois que j'ai découvert le meurtre, moi, qu'est-ce que j'aurais dû faire ?

— Bah… ce qu'on fait d'habitude. Avertir la Scientifique, le magistrat…

— Et comme ça, il aurait pu jouer le rôle de l'homme désespéré, crier que c'était ceux de la nouvelle mafia qui avaient tué son petit-fils adoré, tellement adoré qu'il préférait le voir en prison et qu'il avait réussi à le convaincre de se livrer à moi, et que vous étiez présent, vous le curé… Je vous l'ai dit : il s'est foutu de notre tronche. Mais jusqu'à un certain point. Parce que moi, je vais m'en aller dans cinq minutes et ce sera comme si je n'étais jamais venu dans le coin. Balduccio devra combiner autre chose. Mais si vous le voyez, donnez-lui un conseil : qu'il fasse enterrer son petit-fils en cachette, sans faire de bordel.

— Mais vous… comment êtes-vous arrivé à ces conclusions ?

— Japichinu était un animal traqué. Il se méfiait de tout et de tous. Vous pensez qu'il aurait tourné le dos à quelqu'un qu'il ne connaissait pas bien ?

— Non.

— La kalachnikov de Japichinu est sur le lit. Vous pensez qu'il se serait mis à traîner ici, en bas, désarmé en présence de quelqu'un dont il ignorait jusqu'à quel point il pouvait se fier ?

— Non.

— Dites-moi encore une chose : on vous a dit comment Lollò se comporterait en cas d'arrestation de Japichinu ?

— Oui. Il devait aussi se laisser prendre sans réagir.

— Qui lui avait donné cet ordre ?

— Don Balduccio en personne.

— Ça, c'est ce que Balduccio vous a raconté. En fait, à Lollò, il a dit tout autre chose.

Le père Crucillà avait la gorge sèche, il se colla de nouveau les lèvres au *bùmmolo*.

— Pourquoi don Balduccio a-t-il voulu la mort de son petit-fils ?

— Sincèrement, je ne le sais pas. Peut-être qu'il s'est mal conduit, peut-être qu'il ne reconnaissait pas l'autorité du grand-père. Vous savez, les guerres de succession ne se déclenchent pas que dans la grande industrie…

Il se leva.

— Je m'en vais. Je vous accompagne à votre voiture ?

— Non, merci, répondit le curé. Je voudrais rester encore un moment à prier. Je l'aimais bien.

— Faites comme vous voulez.

Sur le seuil, le commissaire se retourna.

— Je voulais vous remercier.

— De quoi ? s'enquit le curé, inquiet.

— Parmi toutes les suppositions que j'ai faites sur les assassins possibles de Japichinu, vous n'avez pas sorti le nom de son garde du corps. Vous auriez pu me dire que Lollò Spadaro s'était vendu à la nouvelle mafia. Mais vous saviez que Lollò, jamais au grand jamais, n'aurait trahi Balduccio Sinagra. Votre silence a donc constitué une confirmation absolue de l'idée que je m'étais faite. Ah, une dernière chose : quand vous sortez, n'oubliez pas d'éteindre la lumière et de bien fermer la porte. Je ne voudrais pas qu'un chien errant… vous comprenez ?

Il sortit. La nuit était totalement noire. Avant de rejoindre la voiture, il trébucha dans des pierres et des fossés. Il songea au calvaire des Griffo, avec leur bourreau qui les bourrait de coups de pied, en jurant pour les faire arriver au plus vite au lieu et à l'heure de leur mort.

« Amen », eut-il envie de dire avec un serrement de cœur.

Tandis qu'il s'en retournait à Vigàta, il se convainquit que Balduccio suivrait le conseil qu'il lui avait envoyé par l'intermédiaire du curé. Le *catafero*, le cadavre de Japichinu irait finir dans le précipice de quelque carrière… Non, le grand-père connaissait la piété du petit-fils. Il le ferait enterrer anonymement en terre consacrée. Dans le cercueil d'un autre.

Une fois passé la porte du commissariat, il perçut un silence inhabituel. Se pouvait-il qu'ils fussent partis, bien qu'il leur ait dit d'attendre son retour ? Ils étaient là, en fait. Mimì, Fazio, Gallo, chacun assis à sa place, le visage sombre comme après une défaite. Il les appela dans son bureau.

— Je veux vous dire un truc. Fazio a dû vous raconter comment ça s'est passé entre Balduccio Sinagra et moi. Eh bien, vous me croyez ? Et vous devez me croire, parce que des gros bobards, je ne vous en ai jamais balancé. Dès le début, j'ai compris que la demande de Balduccio, d'arrêter Japichinu, parce que, en prison, il serait plus en sûreté, ça ne tenait pas.

— Alors, pourquoi tu l'as prise en considération ? demanda Augello sur un ton polémique.

— Pour voir où il voulait aller. Et pour neutraliser son plan, si je réussissais à le comprendre. Je l'ai compris et j'ai eu la bonne réaction.

— C'est-à-dire ?

— De ne pas rendre publique la découverte par nous du cadavre de Japichinu. C'était cela que voulait Balduccio : que ce soit nous qui le découvrions, en lui fournissant en même temps un alibi. Parce que j'aurais dû déclarer au magistrat que l'intention de Balduccio était de le faire prendre sain et sauf par nous.

— Nous aussi, reprit Mimì, après que Fazio nous a expliqué, de notre côté, nous sommes arrivés à la même conclusion que toi, à savoir que c'est Balduccio qui a fait tuer son petit-fils. Mais pourquoi ?

— Pour l'instant, je ne comprends pas. Mais quelque chose va sortir, tôt ou tard. Pour nous tous, l'affaire se conclut là.

La porte battit contre le mur avec une telle violence que les fenêtres vibrèrent. Tous sursautèrent. Naturellement, c'était Catarella.

— Ah, *dottori, dottori* ! A l'instant juste maintenant, me tilifona Cicco De Cicco ! Le développanment, il fit ! Et il y réussit ! Le numéro de cctte plaque, je l'ai écrit. Quatre fois, Cicco De Cicco, il me l'a fait arépéter !

Il posa une demi-feuille de cahier à gros carreaux sur le bureau du commissaire et dit :

— Je demande pardonnance pour la porte abattue !

Il sortit. Et refermant, il claqua la porte si fort que la fente dans l'enduit près de la poignée s'élargit un peu plus.

Montalbano lut le numéro de la plaque, regarda Fazio.

— Tu l'as à portée de main, le numéro de la voiture de Nenè Sanfilippo ?

— Lequel ? La Punto ou la Duetto ?

Augello avait tendu l'oreille.

— La Punto.

— Celui-là, je le connais par cœur : BA 927 GG.

Sans un mot, le commissaire tendit le bout de papier à Mimì.

— Ça correspond, dit ce dernier. Mais qu'est-ce que ça signifie ? Tu peux t'expliquer ?

Montalbano s'expliqua, il lui raconta comment il avait appris l'existence du livret postal et de l'argent qui y était déposé, et comment, en suivant la piste suggérée par Mimì lui-même, il avait regardé les photographies de l'excursion à Tindari et découvert que l'autocar roulait avec une Punto qui lui collait au train, et comment enfin, il avait porté à la Scientifique de Montelusa la photo pour la faire agrandir. Durant tout ce discours, Augello garda une expression soupçonneuse.

— Tu le savais déjà, dit-il.

— Quoi ?

— Que la voiture qui suivait l'autocar était celle de Sanfilippo. Tu le savais avant que Catarella te donne le bout de papier.

— Oui, admit le commissaire.

— Et qui te l'avait dit ?

« Un arbre, un olivier sarrasin » eût été la bonne réponse, mais Montalbano n'eut pas le courage de la donner.

— J'ai eu une intuition, préféra-t-il déclarer.

Augello choisit de laisser tomber.

— Ceci signifie, dit-il, qu'entre les meurtres des Griffo et celui de Sanfilippo, il y a un rapport étroit.

— Pour l'instant, on ne peut toujours pas le dire, rétorqua le commissaire. Nous ne sommes sûrs que d'une chose : que la voiture de Sanfilippo suivait l'autocar où se trouvaient les Griffo.

— Beba a dit aussi qu'il se retournait souvent pour regarder la route derrière. Evidemment, il voulait s'assurer que l'auto de Sanfilippo continuait à les suivre.

— D'accord. Et ça, ça permet de comprendre qu'il y avait un rapport entre Sanfilippo et les Griffo. Mais nous devons nous en tenir là. Peut-être que c'est Sanfilippo qui a fait monter les Griffo dans sa voiture en les prenant au retour, durant la dernière étape avant d'arriver à Vigàta.

— Et souviens-toi que Beba a dit que c'était précisément Alfonso Griffo qui a demandé au chauffeur de faire cet arrêt supplémentaire. Ce qui signifie qu'ils s'étaient mis d'accord avant.

— Je suis encore d'accord. Mais cela ne nous oblige pas à conclure que Sanfilippo ait tué lui-même les Griffo ni que lui, à son tour, ait été abattu à la suite du meurtre des Griffo. L'hypothèse cocufiage tient encore.

— Quand est-ce que tu vois Ingrid ?

— Demain soir. Mais toi, demain matin, essaie de recueillir des informations sur le Pr Eugenio Ignazio Ingrò, celui qui fait les greffes. Ce qu'on imprime dans les journaux ne m'intéresse pas, ce qui compte c'est le reste, ce qu'on murmure à mi-voix.

— Il y en a un type, à Montelusa, qui est mon ami et qui le connaît bien. Je vais aller le trouver avec une excuse.

— Mimì, j'insiste : vas-y avec de la vaseline. A personne y doit passer même par l'antichambre de la coucourde que nous sommes intéressés par le médecin et par sa chère conjointe Vania Titulescu.

Mimì, vexé, fit une bouche en cul de poule.

— Tu me prends pour un con ?

Le frigo ouvert, il la vit.

La mignonne *caponata*[1] ! Odorante, colorée, abondante, elle remplissait un plat creux, il y en avait au moins pour quatre pirsonnes. Voilà des mois qu'Adelina, la bonne, ne lui en avait pas fait la surprise. Le pain, dans le sac en plastique, était frais, acheté du matin. Naturelles, spontanées, lui vinrent à la bouche les notes de la marche triomphale de l'*Aïda*. En la chantonnant, il

---

1. Légumes (aubergines, poivrons, céleris…) cuits en ratatouille, avec des olives, des câpres, et revenus au vinaigre, à l'aigre-doux. Un des fondements de la cuisine sicilienne, aux mille variantes régionales. *(N.d.T.)*

ouvrit la porte-fenêtre après avoir allumé la lumière de la véranda. Oui, la nuit était fraîche, mais elle permettrait quand même de manger dehors. Il apprêta la table, porta au-dehors l'assiette, le vin, le pain et s'assit. Le téléphone sonna. Il couvrit l'assiette d'une petite serviette en papier et alla répondre.

— Allô ? *Dottor* Montalbano ? Ici, Me Guttadauro.

Il s'y attendait, à ce coup de fil, il aurait parié ses roubignoles.

— Je vous écoute, maître.

— Avant tout, je vous prie d'accepter mes excuses d'être contraint de vous appeler à cette heure.

— Contraint ? Et par qui ?

— Par les circonstances, commissaire.

Il était vraiment malin, l'avocat.

— Et quelles sont ces circonstances ?

— Mon client et ami est inquiet.

Il ne voulait pas prononcer au téléphone le nom de Balduccio Sinagra, maintenant qu'il y avait un mort tout frais au milieu de l'histoire ?

— Ah oui ? Et pourquoi ?

— Ben... il n'a plus de nouvelles de son petit-fils depuis hier.

Depuis hier ? Balduccio Sinagra commençait à se couvrir les arrières.

— Quel petit-fils ? L'exilé ?

— Exilé ? répéta Me Guttadauro, sincèrement perplexe.

— Ne vous formalisez pas, maître. Aujourd'hui, exilé ou en cavale, ça veut dire la même chose. C'est du moins ce qu'on veut nous faire croire.

— Oui, lui fit l'avocat, ahuri.

— Mais comment pouvait-il avoir des nouvelles de son petit-fils s'il était en cavale ?

A salaud, salaud et demi.

— Ben… vous savez comment c'est, des amis communs, des gens de passage…

— Je comprends. Et en quoi ça me concerne ?

— En rien, s'empressa de préciser Guttadauro, et il répéta, scandant ses mots : Vous n'êtes absolument pas concerné.

Message reçu. Balduccio Sinagra lui faisait savoir qu'il avait entendu le conseil à lui adressé par l'entremise du père Crucillà : du meurtre de Japichinu, on ne soufflerait mot ; Japichinu pouvait aussi bien n'avoir jamais existé, sinon qu'il y avait ceux qu'il avait tués.

— Maître, pourquoi ressentez-vous le besoin de me communiquer l'inquiétude de votre ami et client ?

— Ah, c'était pour vous dire que, malgré cette inquiétude déchirante, mon client et ami a pensé à vous.

— A moi ? répéta Montalbano, sur ses gardes.

— Oui. Il m'a donné la charge de vous remettre une enveloppe. Il dit qu'à l'intérieur, il y a quelque chose qui vous intéresse.

— Ecoutez, maître. Je suis en train de me coucher, j'ai eu une rude journée.

— Je vous comprends très bien.

Il faisait de l'ironie, ce putain d'avocat.

— L'enveloppe, vous me l'apportez demain matin, au commissariat. Bonne nuit.

Il raccrocha. Il retourna sous la véranda, mais se ravisa. Il rentra dans la chambre, souleva le téléphone, fit un numéro.

— Livia, mon amour, comment tu vas ?

— Oh mon Dieu, Salvo, qu'est-ce qui se passe ? Pourquoi tu me téléphones ?

— Et pourquoi je ne devrais pas te téléphoner ?

— Parce que tu téléphones seulement quand tu as quelque chose qui te tracasse.

— Allez !

— Non, non, c'est comme ça. Si tu n'as pas des ennuis, c'est toujours moi qui t'appelle en premier.

— C'est bon, tu as raison, excuse-moi.

— Qu'est-ce que tu voulais me dire ?

— Que j'ai réfléchi longuement sur notre relation.

Livia, et Montalbano l'entendit distinctement, retint son souffle. Elle ne parla pas. Montalbano continua.

— Je me suis rendu compte que souvent, et volontiers, nous nous disputons. Comme un couple marié depuis des années, qui subit l'usure de la vie commune. Et le plus drôle, c'est qu'on ne vit pas ensemble.

— Continue, dit Livia, dans un filet de voix.

— Alors, je me suis dit : pourquoi est-ce qu'on ne recommence pas tout depuis le début ?

— Je ne comprends pas. Qu'est-ce que ça veut dire ?

— Livia, qu'est-ce que tu dirais si on se fiançait ?

— On l'est pas, fiancés ?

— Non. Nous sommes mariés.

— D'accord. Et alors, comment on commence ?

— Comme ça : Livia, je t'aime. Et toi ?

— Moi aussi, je t'aime. Bonne nuit, mon amour.

— Bonne nuit.

Il raccrocha. Maintenant, il pouvait se bâfrer la *caponata* sans crainte d'autres coups de fil.

Quatorze

Il se réveilla à sept heures, après une nuit d'un sommeil de plomb sans rêves, au point qu'il eut l'impression, en rouvrant les yeux, qu'il se trouvait encore dans la même position que quand il s'était couché. La matinée n'était certes pas d'une gaieté absolue ; des nuages épars donnaient l'impression de moutons qui attendaient de se faire troupeau, mais on voyait clairement qu'elle n'avait pas l'intention de provoquer de gros accès de mauvaise humeur. Il se passa un vieux pantalon, sortit sous la véranda et, pieds nus, alla faire une balade au bord de l'eau. L'air frais lui nettoya la peau, les poumons, les pensées. Il rentra, se rasa, se mit sous la douche.

Toujours, durant chacune des enquêtes qu'il s'était retrouvé entre les mains, il y avait eu un jour, ou plutôt un moment précis d'un certain jour, où un inexplicable bien-être physique, une heureuse légèreté dans l'entrelacs des pensées, une harmonieuse concaténation des muscles, lui donnaient la certitude de pouvoir marcher dans la rue les yeux fermés, sans trébucher ni aller buter contre quelqu'un ou quelque chose. Il durait très peu de temps, ce moment, mais il était suffisant. Maintenant, il le savait d'expérience, c'était comme la bouée du virage, l'indication du prochain tournant : à partir de ce point, chaque pièce du puzzle que constitue l'enquête, irait d'elle-même au bon endroit, sans effort ; il suffisait presque, simplement, de le vouloir. C'était ce qui lui arrivait sous la douche, même si tant de choses encore, en vérité, la plus grande partie, restaient obscures.

Il était huit heures et quart quand il arriva en voiture devant le bureau, il ralentit pour se garer, puis se ravisa et poursuivit jusqu'à la via Cavour. La gardienne le regarda d'un sale œil sans même dire bonjour : elle venait juste de finir de laver le sol de l'entrée et maintenant, les chaussures du commissaire allaient tout dégueulasser. Davide Griffo semblait moins blême, il s'était un peu repris. Il ne s'étonna pas de voir Montalbano et lui offrit tout de suite une tasse de café qui venait juste d'être fait.

— Vous n'avez rien trouvé ?

— Rien, dit Griffo. Et j'ai regardé partout. Il n'y a pas de livret, il n'y a rien d'écrit qui m'explique ces deux millions par mois donnés à papa.

— Monsieur Griffo, j'ai besoin que vous m'aidiez à me rappeler.

— A votre disposition.

— Il me semble que vous m'avez dit que votre père n'avait pas de parents proches.

— C'est vrai. Il avait un frère, j'ai oublié comment il s'appelait, mais qui est mort sous les bombardements américains en 43.

— Votre mère, en revanche, elle en avait.

— Exactement, un frère et une sœur. Le frère, l'oncle Mario, vit à Comiso et il a un fils qui besogne à Sidney. Vous vous rappelez que nous en avons parlé ? Vous m'avez demandé si...

— Je me souviens, coupa le commissaire.

— La sœur, la tante Giuliana, vivait à Trapani, où elle était allée faire la maîtresse d'école. Elle était restée célibataire, elle n'avait jamais voulu se marier. Mais ni maman ni l'oncle Mario ne la fréquentaient. Même si avec maman, elles s'étaient un peu rapprochées ces derniers temps, au point que maman et papa sont allés la trouver deux jours avant qu'elle meure. Ils sont restés à Trapani presque une semaine.

— Vous savez pourquoi votre mère et son frère étaient en froid avec cette Giuliana ?

— Le grand-père et la grand-mère, en mourant, ont laissé presque tout le peu qu'ils possédaient à cette fille, en déshéritant pratiquement les deux autres.

— Votre mère vous a jamais dit quelle fut la cause ?

— Elle y a fait allusion. Il semble que les grands-parents se soient sentis abandonnés par maman et par l'oncle Mario. Mais, vous voyez, maman s'était mariée très jeune et l'oncle était allé besogner loin de chez lui qu'il avait pas encore seize ans. Avec les parents, il n'est resté que la tante Giuliana. Dès que les grands-parents sont morts, la grand-mère en premier, la tante Giuliana vendit ce qu'elle avait ici et déménagea à Trapani.

— Quand est-elle morte ?

— Précisément, je ne saurais vous le dire. Depuis au moins deux ans.

— Vous savez où elle habitait, à Trapani ?

— Non. Ici, dans cet appartement, je n'ai rien trouvé qui concerne la tante Giuliana. Mais je sais que l'appartement de Trapani était à elle, elle se l'était acheté.

— Une dernière chose : le nom de jeune fille de votre mère.

— Di Stefano. Margherita Di Stefano.

C'était ce qu'il y avait de bien, chez Davide Griffo :
il était prodigue dans les réponses et économisait sur les
questions.

Deux millions mensuels. Plus ou moins, ce que
gagne un petit employé en fin de carrière. Mais Alfonso
Griffo était retraité depuis un bon moment et vivait sur
les retraites, la sienne et celle de sa femme. Ou plutôt, il
en avait vécu car depuis deux ans, il recevait une aide
substantielle. Deux millions par mois. D'un autre point
de vue, un chiffre dérisoire. Par exemple, s'il s'agissait
d'un chantage systématique. Et puis, si attaché qu'il eût
été à l'argent, Alfonso Griffo, ne fût-ce que par lâcheté,
ne fût-ce que par manque d'imagination, n'aurait
jamais conçu un chantage. Même si on admettait qu'il
n'aurait pas eu de scrupules moraux. Deux millions par
mois. Pour avoir servi de prête-nom comme il l'avait
supposé, dans un premier temps ? Mais, en général, le
prête-nom est payé en une seule fois ou participe aux
bénéfices, sûrement pas par mensualités. Deux millions
par mois. En un certain sens, c'était la modestie du
chiffre qui rendait les choses plus difficiles. Mais la
régularité des versements donnait une indication. Une
idée, le commissaire commençait à l'avoir. Il y avait
une coïncidence qui l'intriguait.

Il s'arrêta à la mairie, monta à l'état civil. Il connaissait l'employé, M. Crisafulli.

— J'ai besoin d'une information.

— Je vous écoute, commissaire.

— Si quelqu'un qui est né à Vigàta meurt dans une
autre ville, son décès est communiqué ici ?

— Il y a une disposition là-dessus, répondit, évasif,
M. Crisafulli.

— Et elle est respectée ?

— En général, oui. Mais, vous voyez, il faut du temps. Vous savez comment fonctionnent ces choses. Mais je dois vous dire que si le décès a eu lieu à l'étranger, pas la peine d'en parler. A moins qu'un proche ne s'occupe lui-même de…

— Non, la personne qui m'intéresse est morte à Trapani.

— Quand ?

— Il y a plus de deux ans.

— Comment s'appelait-elle ?

— Giuliana Di Stefano.

— Voyons ça tout de suite.

M. Crisafulli pianota sur l'ordinateur qui trônait dans un coin de la pièce, leva les yeux pour fixer Montalbano.

— Il appert qu'elle est décédée à Trapani le 6 mai 1997.

— C'est écrit, où elle habitait ?

— Non. Mais si vous voulez, dans les cinq minutes, je pourrai vous le dire.

Et là, M. Crisafulli fit une chose étrange. Il retourna à sa table, rouvrit un tiroir, en tira une flasque de métal, dévissa le bouchon, but une gorgée, revissa, laissa la flasque en évidence. Puis il revint se débattre avec l'ordinateur. Vu que le cendrier sur la table était plein de mégots de cigare dont l'odeur avait imprégné la pièce, le commissaire s'alluma une cigarette. Il venait juste de l'éteindre quand l'employé annonça, dans un filet de voix :

— Je la trouvai. Elle habitait 12, via Libertà.

Il s'était senti mal ? Montalbano voulait le lui demander, mais il n'eut pas le temps. M. Crisafulli retourna en courant à son bureau, agrippa la flasque, but une gorgée.

— C'est du cognac, expliqua-t-il. Je pars à la retraite dans deux mois.

Le commissaire le regarda d'un air interrogatif, il ne comprenait pas le rapport.

— Je suis un employé vieux style, dit l'autre. Et chaque fois que je suis une procédure avec une telle rapidité, alors qu'avant, il fallait des mois et des mois, je suis pris de vertiges.

Pour arriver à Trapani, via Libertà, il lui fallut deux heures et demie. Au numéro 12, correspondait un petit immeuble à trois étages, entouré d'un jardinet bien tenu. Davide Griffo lui avait expliqué que l'appartement où elle avait vécu, la tante Giuliana l'avait acheté. Mais peut-être, après sa mort, avait-il été revendu à des gens qui ne la connaissaient même pas et le revenu en était allé presque certainement finir dans quelque œuvre pieuse. A côté du portail fermé, il y avait un interphone avec trois noms seulement. Il devait s'agir d'appartements assez grands. Il appuya sur la plus haute sonnette, là où était écrit « Cavallaro ». Une voix féminine répondit.

— Oui ?

— Madame, pardon de vous déranger. J'aurais besoin d'un renseignement regardant la défunte Mlle Giuliana Di Stefano.

— Sonnez à la sonnette 2, celle du milieu.

Le carton à côté de la sonnette du milieu portait le nom : « Baeri ».

— Ouh, qu'est-ce qu'on est pressé ! Qui est-ce ? lança une autre voix féminine, âgée cette fois, quand le commissaire eût perdu toute spirance, étant donné qu'il avait sonné trois fois sans obtenir de réponse.

— Montalbano, je m'appelle.

— Et que voulez-vous ?

— Je voudrais vous demander quelque chose sur Mlle Giuliana Di Stefano.

— Demandez.

— Comme ça, à l'interphone ?

— Pourquoi, c'est long ?

— Ben, il vaudrait mieux que…

— Alors, je vais ouvrir, dit la voix âgée. Et vous faites je dis. Dès que le portail est ouvert, vous entrez et vous arrêtez au milieu de l'allée. Si vous ne faites pas comme ça, je n'ouvre pas la porte.

— Bon, d'accord, dit le commissaire, résigné.

Immobilisé au milieu de l'allée, il ne sut que faire. Puis il vit les rideaux d'un balcon qui s'écartaient et apparut une vieille dame à toupet, toute vêtue de noir, avec des jumelles à la main. Elle les porta à ses yeux et observa avec attention le commissaire tandis que celui-ci, inexplicablement, rougissait, avec l'impression d'être nu. La vieille se retira, referma les rideaux et au bout d'un moment, on entendit le déclic métallique de la porte qu'on ouvrait. Naturellement, pas d'ascenseur. Au deuxième étage, la porte sur laquelle était écrit « Baeri » était fermée. Quel examen l'attendait encore ?

— Comment vous avez dit que vous vous appelez ? demanda la voix derrière la porte.

— Montalbano.

— Et de métier, qu'est-ce que vous faites ?

S'il disait qu'il était commissaire, celle-là, elle risquait de lui faire une attaque.

— Je suis employé de ministère.

— Vous en avez, des papiers ?

— Oui.

— Vous me les passez sous la porte.

Armé de sainte patience, le commissaire s'exécuta.

Cinq minutes de silence absolu.

— Je vous ouvre, dit la vieille.

Alors seulement, avec horreur, le commissaire remarqua que la porte avait quatre serrures. Et certainement, à l'intérieur, il y avait un verrou et une chaîne de sûreté. Au bout d'une dizaine de minutes de bruits variés, la porte se rouvrit et Montalbano put faire son entrée dans l'appartement Baeri. On le fit pénétrer dans un grand salon aux meubles sombres et lourds.

— Moi, je m'appelle Assunta Baeri, attaqua la vieille, et d'après la carte que vous m'avez montrée, vous êtes de la police.

— Précisément.

— Et je m'en réjouis, dit, ironique, Mme (ou Mlle ?) Baeri.

Montalbano ne souffla mot.

— Les voleurs et les assassins font ce qui leur plaît et la police, avec l'excuse de maintenir l'ordre, elle va sur les terrains de foutebôle à se voir la partie ! Ou alors, elle fait l'escorte du sénateur Ardolì, que celui-là, il n'a pas besoin d'escorte, il suffit de le regarder en face pour mourir de peur !

— Madame, je…

— Mademoiselle.

— Mademoiselle Baeri, je suis venu vous déranger pour parler de Mlle Giuliana Di Stefano. Cet appartement est à vous ?

— Oh que si, monsieur.

— Vous l'avez acheté à elle… à la défunte ?

— Moi, j'ai rien acheté ! La défunte, comme vous l'appelez, elle me l'a laissé par testament ! Depuis trente-deux ans, je vivais avec elle. Moi, je lui payais même un loyer. Peu, mais je le payais.

— Elle vous a laissé autre chose ?

— Alors vous, vous êtes pas de la police, mais des impôts ! Oh que si, monsieur, à moi, elle a laissé un autre appartement mais tout petit. Je le loue.

— Et à d'autres ? Elle a laissé quelque chose aux autres ?

— Quels autres ?

— Beh, je ne sais pas, à quelque parent…

— A sa sœur, avec qui elle avait fait la paix depuis des années qu'elles se parlaient plus, elle a laissé une petite chose.

— Vous le savez ce qu'était cette petite chose ?

— Bien sûr que je le sais ! Le testament, elle le fit devant moi et j'en ai aussi une copie. A *so'* sœur, elle laissa une écurie et une *salma*[1], pas grand-chose, pour autant que je me souvienne.

Montalbano en fut ébahi. On pouvait laisser une *salma*, une dépouille en héritage ? Les paroles suivantes de Mlle Baeri dissipèrent l'équivoque.

— Non, beaucoup moins. Vous le savez, vous, à combien de mètres carrés correspond une *salma* de terre ?

— Vraiment, je ne saurais pas dire, répondit le commissaire en se reprenant de son étonnement.

— Giuliana, quand elle s'en est allée de Vigàta pour venir ici, n'a pas réussi à vendre ni l'écurie ni la *salma* ni la terre qu'il paraît qu'elle est en chute libre. Et alors, quand elle fit le testament, elle décida de laisser ces choses à *so'* sœur. De peu de valeur, elles sont.

— Vous le savez, où se trouve exactement l'écurie ?

— Non.

— Mais dans le testament, ça devrait être spécifié. Et vous m'avez dit que vous en avez une copie.

— Oh petite Madone sainte ! Qu'est-ce que vous voulez, que je me mette à chercher ?

— Si c'était possible…

---

1. *Una stalla e una salma* : expression qui signifie « pas grand-chose ». La *salma* est, en italien, la dépouille mortelle, et en sicilien, une mesure de surface équivalente à 1,746 hectare. *(N.d.T.)*

La vieille se releva en murmurant, sortit de la chambre et revint après pas même une minute. Elle savait très bien où était la copie du testament. Elle la tendit d'un air peu aimable. Montalbano la parcourut et trouva enfin ce qui l'intéressait.

L'écurie était appelée « construction rustique d'une seule pièce » ; d'après les mesures, un dé de quatre mètres de côté. Tout autour, mille mètres de terre. Peu de chose, comme l'avait dit Mlle Baeri. La construction surgissait dans une localité appelée « Le Maure ».

— Je vous remercie et vous prie de m'excuser pour le dérangement, dit le commissaire avec componction, en se levant.

— Pourquoi vous intéressez-vous à cette écurie ? demanda la vieille en se levant elle aussi.

Montalbano hésita, il devait trouver une bonne excuse. Mais Mlle Baeri poursuivit :

— Je vous le demande parce que vous êtes la deuxième personne qui s'intéresse à l'écurie.

Le commissaire s'assit, Mlle Baeri aussi.

— Quand était-ce ?

— Le lendemain de l'enterrement de la pôvre Giuliana, quand *so'* sœur et *so'* mari étaient encore ici. Ils dormaient dans la chambre du fond.

— Expliquez-moi comme c'est arrivé.

— Ça m'était complètement sorti de la tête, ça me revient maintenant qu'on en a parlé. Donc, le lendemain des funérailles, il était presque l'heure de manger, le téléphone sonna et moi, j'allai répondre. C'était un homme, il me dit qu'il était intéressé à l'achat de l'écurie et du terrain. Moi je lui demandai s'il avait su que la pôvre Giuliana était morte et lui me dit que non. Il me demanda avec qui il pouvait parler de l'affaire. Alors, je lui ai passé le mari de Margherita, étant donné que *so'* femme était l'héritière.

— Vous avez entendu ce qu'ils se sont dit ?

— Non, il sortit de la chambre.

— Celui qui a téléphoné, comment a-t-il dit qu'il s'appelait ?

— Peut-être qu'il l'a dit. Mais moi, je ne me rappelle plus.

— Après, en votre présence, M. Alfonso a parlé avec sa femme du coup de fil ?

— Quand il est entré dans la cuisine et que Margherita lui a demandé avec qui il avait parlé, il a répondu que c'était quelqu'un de Vigàta, qui habitait dans le même immeuble qu'eux. Et il n'a rien expliqué d'autre.

Dans le mille ! Montalbano bondit sur ses pieds.

— Je dois y aller, merci et excusez-moi, dit-il en se dirigeant vers la porte.

— Je peux vous poser une question, par curiosité ? demanda Mlle Baeri en se mettant dans son sillage. Mais pourquoi ces choses, vous ne les demandez pas à Alfonso ?

— Quel Alfonso ? demanda Montalbano, qui avait déjà ouvert la porte.

— Comment quel Alfonso ? Le mari de Margherita.

Seigneur ! Cette femme ne savait rien des meurtres ! Certainement, elle n'avait pas la télévision et elle ne lisait pas les journaux.

— Je le lui demanderai, assura le commissaire, déjà dans l'escalier.

A la première cabine téléphonique qu'il vit, il s'arrêta, descendit de voiture, entra et remarqua une petite lumière rouge clignotante. Le téléphone ne fonctionnait pas. Il en avisa une deuxième : celle-là aussi était cassée.

Il jura, comprenant que la belle petite course qu'il

222

avait faite jusqu'à ce moment commençait maintenant à être interrompue par de petits obstacles, présageant de plus gros. A la troisième cabine, il put enfin appeler le commissariat.

— Ah *dottori*, *dottori* ! Où c'est que vous vous cachâtes ? C'est de toute la sainte matinée que…

— Catarè, tu me raconteras ça après. Tu sais où on trouve « Le Maure » ?

Il y eut d'abord un silence, puis un petit rire qui voulait être moqueur.

— *Dottori*, et comment on fait ? Vous le savez pas comment on est ici, à Vigàta ? Plein de Conogolais, on est.

— Passe-moi tout de suite Fazio.

Conogolais ? Atteints d'une lésion traumatique au conogue ? Et qu'est-ce que c'était, le conogue ?

— Dites-moi, *dottore*.

— Fazio, tu le sais où se trouve une localité qui s'appelle « Le Maure » ?

— Juste un instant, *dottore*.

Fazio avait démarré sa coucourde-ordinateur. Dans sa tête, entre autres, il gardait la carte détaillée du territoire de Vigàta.

— *Dottore*, c'est du côté de Monteserrato.

— Explique-moi comment on fait pour y arriver.

Fazio le lui expliqua. Et puis, il ajouta :

— Désolé, Catarella insiste pour vous parler. Vous, vous téléphonez d'où ?

— De Trapani.

— Et qu'est-ce que vous y faites, à Trapani ?

— Je te le dirai après. Passe-moi Catarella.

— Allons, allô, *dottori* ? Je voulais vous dire que ce matin…

— Catarè, c'est qui les Conogolais ?

223

— Les Africains du Conogo, *dottori*. Comment on dit ? Conogotains ?

Il raccrocha, repartit et s'arrêta devant un grand bazar. Un self-service. Il s'acheta un pied-de-biche, un burin, une grosse tenaille, un marteau et une scie à métaux. Quand il alla payer, la caissière, une belle petite brune, lui sourit :

— Bon casse, lui dit-elle.

Il n'avait pas envie de répondre. Il sortit, remonta en voiture. Au bout d'un moment, il pensa à jeter un coup d'œil à sa montre. Il était presque deux heures et il lui vint un pétit de loup. Devant une trattoria dont une enseigne annonçait « au Bourbon », il y avait quelques gros camions arrêtés. Donc, là, on mangeait bien. En lui se déroula une lutte, brève mais féroce, entre l'ange et le diable. L'ange l'emporta. Il poursuivit vers Vigàta.

— Pas même un sandwich ? entendit-il le diable lui demander d'une voix plaintive.

— Non.

On appelait Monteserrato une ligne de collines, assez haute, qui séparait Montelusa de Vigàta. On partait tout près de la mer et on progressait pendant cinq ou six kilomètres vers la campagne de l'intérieur. Sur la dernière crête surgissait une vieille et grande ferme. C'était un lieu isolé. Et il était resté tel, bien que, à l'époque de la folie de constructions et de travaux publics, quand on était en quête désespérée d'un endroit qui justifie une route, un pont, un viaduc, un tunnel, on l'eût relié par un ruban d'asphalte à la provinciale Vigàta-Montelusa. C'est le vieux proviseur Burgio qui lui avait parlé de Monteserrato quelques années plus tôt. Il lui avait raconté qu'en 44, il y était allé en excursion avec un ami américain, un journaliste avec lequel il avait tout de suite sympathisé. Ils avaient marché pendant des heures en pleine campagne, puis avaient commencé à grimper, en se reposant de temps en temps. Quand ils étaient arrivés en vue de la ferme, entourée de hauts murs, ils avaient été arrêtés par deux chiens comme ni le proviseur ni l'Américain n'en avaient jamais vu. Corps de lévrier mais queue très courte et en tire-bouchon comme celle d'un porc, longues oreilles d'une race de chasse, regard féroce. Les chiens les avaient littéralement immobilisés, dès qu'ils bougeaient, les bêtes grondaient. Puis, à la fin, était passé quelqu'un de la ferme, à cheval, qui les avait accompagnés. Le chef de famille les avait emmenés visiter les ruines d'un ancien couvent. Et là, le proviseur et l'Américain, sur un mur humide et dégradé, virent une fresque extraordinaire, une Nativité. On pouvait encore lire la date : 1410. Y étaient figurés aussi trois chiens, en tout point identiques à ceux qui les avaient arrêtés à leur arrivée. Le proviseur, de nombreuses années plus tard, après la construction de la route asphaltée, avait voulu revenir. Les ruines du couvent n'existaient plus, à leur place, il y avait un immense garage. Le mur et sa fresque avaient aussi été abattus. Autour du garage, on trouvait encore des bouts de crépi coloré.

Il trouva la chapelle que lui avait signalée Fazio, dix mètres après s'ouvrait une draille qui descendait le long de la colline.

— Elle est très raide, faites attention, avait dit Fazio.

Raide, tu parles ! Par moments, elle était perpendiculaire. Montalbano progressait lentement. Quand il arriva à mi-côte, il s'arrêta, descendit et regarda depuis le bord de la route. Le panorama qui se présentait à lui pouvait être, selon les goûts du spectateur, horrible ou bien très beau. Il n'y avait pas d'arbres, il n'y avait pas d'autres maisons hormis celle dont on apercevait le toit cent mètres plus bas. La terre n'était pas cultivée : abandonnée à elle-même, elle avait produit une extraordinaire variété de plantes sauvages, au point que la minuscule maisonnette était complètement submergée sous les herbes hautes, à l'exception toutefois du toit qui avait été manifestement refait, avec ses tuiles intactes. Et Montalbano vit, avec une sensation de dépaysement, les fils de l'électricité et du téléphone qui, en partant d'un point lointain et non visible, allaient finir à l'intérieur de l'ex-écurie. Incongrus, dans ce paysage qui semblait être ainsi depuis le début des temps.

Quinze

A un certain point de la draille, à main gauche, le passage répété dans les deux sens d'une voiture avait ouvert une espèce de piste dans l'herbe haute. Elle arrivait tout droit devant la porte de l'ex-écurie, porte refaite récemment dans un bois solide et munie de deux serrures. En outre, à travers deux yeux à vis passait une chaîne, du type antivol de moto, bloquée par un gros cadenas. A côté de la porte, il y avait un fenestron si petit que pas même un minot de cinq ans n'y serait entré, protégé par une barre de fer. Au-delà de celle-ci, on découvrait le verre peint en noir, pour empêcher de voir ce qui se passait à l'intérieur ou pour que la nuit, la lumière ne filtre pas à l'extérieur.

Montalbano avait deux voies possibles : ou bien s'en retourner à Vigàta et demander des renforts ou bien se mettre à jouer les casseurs, même s'il était persuadé que ce serait long et fatigant. Naturellement, il opta pour la deuxième. Il ôta sa veste, prit la scie à métaux qu'il avait heureusement achetée à Trapani et commença à besogner sur la chaîne. Au bout d'un quart d'heure, le bras se mit à lui faire mal. Au bout d'une demi-heure, la douleur s'étendit à la moitié de la poitrine. Au bout d'une heure, la chaîne se brisa, avec l'aide de la tenaille et du pied-de-biche utilisé comme levier. Il était trempé de sueur. Il ôta sa chemise et l'étendit sur l'herbe dans l'espoir qu'elle sèche un peu. Il s'assit dans la voiture et reprit des forces, il n'avait même pas envie de se fumer une cigarette. Quand il se sentit reposé, il attaqua la première des deux serrures avec le trousseau de rossignols qu'il trimbalait désormais toujours avec lui. Il fourragea une demi-heure, puis se convainquit que ça ne marcherait pas. Avec la deuxième serrure non plus, il n'obtint pas de résultat. Il lui vint à l'esprit une idée qui, d'abord, lui sembla géniale. Il ouvrit le coffre de la voiture, saisit son pistolet, mit la balle dans le canon, visa, tira vers la plus haute des serrures. La balle frappa la cible, rebondit sur le métal et effleura le flanc de Montalbano, blessé quelques années plus tôt. L'unique effet qu'il avait obtenu avait été de déformer le trou où entrait la clé. En jurant, il rangea le pistolet. Mais comment se faisait-il que dans les films américains, les policiers réussissaient toujours à ouvrir les portes avec ce système ? A cause de la frousse qu'il s'était pris, il lui vint une autre poussée de sueur. Il ôta son tricot de corps et l'étendit à côté de la chemise. Muni d'un marteau et d'un burin, il commença de besogner sur le bois de la porte, tout autour de la serrure sur laquelle il avait tiré. Au bout d'une heure, il estima avoir assez creusé, un coup d'épaule et la porte s'ouvrira. Il recula de trois pas, prit son élan, donna un coup d'épaule, la porte ne broncha pas. La douleur fut tellement forte dans toute son épaule et dans sa poitrine que les larmes lui montèrent aux yeux. Pourquoi cette saloperie ne s'était pas ouverte ? Bien sûr : il avait pensé qu'avant de se jeter à coups d'épaule contre la porte, il devait faire subir à la deuxième serrure ce qu'il avait infligé à la première. Le pantalon, trempé de transpiration, le gênait. Il le retira, l'étendit à côté de la chemise et du tricot de corps. Au bout d'une heure encore, la deuxième serrure aussi fut en position précaire. Son épaule avait gonflé, il y sentait un battement. Il besogna la porte au marteau et au pied-de-biche. Inexplicablement, elle résistait. D'un coup, il fut submergé d'une fureur inextinguible : comme dans certains dessins animés de Donald, il prit la porte à coups de pied et de poing, en hurlant comme un cinglé. En boitant, il retourna à la voiture. Le pied gauche lui faisait mal, il ôta ses chaussures. Et à ce moment, il entendit un grand bruit : toute seule, et vraiment comme dans un dessin animé, la porte avait décidé de se rendre, tombant à l'intérieur de la pièce. Montalbano se précipita. L'ex-écurie, blanchie et crépie, était absolument vide. Pas un meuble ni un papier, rin de rin, comme si elle n'avait jamais été utilisée. Juste, au bas des murs, une quantité de prises, électriques et téléphoniques. Le commissaire resta à fixer ce vide, il n'arrivait pas à y croire. Puis, l'obscurité venue, il se décida. Il prit la porte, la plaquant contre l'embrasure, ramassa le tricot de corps, chemise et pantalon, les jeta sur le siège arrière, passa seulement la veste et, ayant allumé les phares, il partit en direction de Marinella en espérant que, sur le trajet, personne ne l'arrête. On y a perdu la nuit et c'est une fille.

Il suivit une route beaucoup plus longue, qui lui évitait la traversée de Vigàta. Il dut conduire lentement parce qu'il avait des élancements dans l'épaule droite, qu'il sentait gonflée comme une miche de pain à peine sortie du four. Il arrêta la voiture sur l'esplanade devant la porte de la maison ; en gémissant, il ramassa chemise, tricot, pantalon et chaussures, alluma les phares, sortit. La lumière au-dessus de la porte était allumée. Il fit deux pas en avant et se figea. Juste à côté de la porte, il y avait une ombre, quelqu'un l'attendait.

— Qui est-ce ? demanda-t-il, inquiet.

L'ombre ne répondit pas. Le commissaire fit encore deux pas et la reconnut. C'était Ingrid, bouche bée, qui le fixait d'un œil écarquillé et n'arrivait pas à prononcer un mot.

— Je t'explique après, se sentit obligé de murmurer Montalbano en essayant de prendre les clés dans la poche du pantalon qu'il avait au bras.

Ingrid, qui s'était un peu reprise, lui retira les chaussures des mains. Enfin, la porte s'ouvrit. Dans la lumière, Ingrid l'examina et puis demanda :

— Tu t'es montré dans le *California Dream Men* ?

— Et qui est-ce ?

— Des hommes qui font du strip-tease.

Le commissaire ne répondit pas et ôta sa veste. En voyant l'épaule tuméfiée, Ingrid ne cria pas, ne demanda pas d'explications. Elle dit simplement :

— Tu en as, à la maison, du liniment ?

— Non.

— Donne-moi les clés de la voiture et mets-toi au lit.

— Où veux-tu aller ?

— Il doit bien y avoir une pharmacie ouverte, non ? dit Ingrid en lui prenant aussi les clés de la maison.

Montalbano se déshabilla, il lui suffit de retirer ses chaussures et son caleçon, et se glissa sous la douche. Le pouce du pied blessé avait pris la taille d'une poire de taille moyenne. Au sortir de la douche, il alla jeter un coup d'œil à la pendule sur la commode. Il était neuf heures et demie et il ne s'en était pas le moins du monde rendu compte. Il fit le numéro du commissariat et quand il entendit Catarella lui répondre, il contrefit énormément sa voix.

— Allô ? *Je suis monsieur Hulot. Je cherche monsieur Augello*[1].

— Monsieur le Franchais, il est pas là.

— *Merci*[2].

Il fit le numéro de chez Mimì. Il laissa sonner longtemps, mais n'obtint pas de réponse. Perdu pour perdu, il chercha dans l'annuaire le numéro de Beatrice. On décrocha immédiatement.

— Beatrice, Montalbano, je suis. Excusez mon culot, mais…

— Vous voulez parler à Mimì ? coupa avec simplicité la divine créature. Je vous le passe tout de suite.

Elle n'avait manifesté aucun embarras. Augello, en revanche, oui, il se lança tout de suite dans les justifications.

— Tu sais, Salvo, je me trouvais à passer devant chez Beba et…

— Mais pour l'amour du ciel ! concéda, magnanime, Montalbano. Excuse-moi, avant tout, si je t'ai dérangé.

— Comment ça, dérangé ! Tu rêves ! Dis-moi.

Aurait-il pu mieux faire en Chine en fait de salamalecs ?

— Je voulais te demander si demain matin, disons à huit heures, nous pouvons nous trouver au bureau. J'ai découvert quelque chose d'important.

— Quoi ?

— Le lien entre les Griffo et Sanfilippo.

Il entendit Mimì qui aspirait l'air comme quand on reçoit un coup de poing dans le ventre. Puis Augello balbutia :

1. En français dans le texte. *(N.d.T.)*
2. *Idem. (N.d.T.)*

— Où… où es-tu ? Je te rejoins tout de suite.

— Je suis chez moi. Mais il y a Ingrid.

— Ah. Attention, hein : pressure-la quand même, peut-être que, après ce que tu m'as dit, l'hypothèse cocufiage ne tient plus tant que ça.

— Ecoute, ne dis à personne où je suis. Maintenant, je débranche le téléphone.

— Je comprends, je comprends, dit, allusif, Augello.

Montalbano alla se coucher en boitant. Il lui fallut une demi-heure pour trouver la bonne position. Il ferma les yeux et les rouvrit aussitôt : mais n'avait-il pas invité Ingrid à dîner ? Et maintenant, comment allait-il faire pour se rhabiller, se mettre debout et sortir pour aller au restaurant ? Le mot « restaurant » lui produisit aussitôt un effet de vacuité dans l'estomac. Depuis quand est-ce qu'il n'avait pas mangé ? Il se leva, gagna la cuisine. Au frigo trônait un plat creux plein de rougets à l'aigre-doux. Il retourna se coucher, rassuré. Il s'assoupissait quand il entendit la porte de la maison qui s'ouvrait.

— J'arrive tout de suite, dit Ingrid depuis la salle à manger.

Au bout de quelques minutes, elle entra avec en main, un flacon, un pansement élastique et des rouleaux de gaze. Elle posa tout sur la commode.

— Maintenant, je règle ma dette, dit-elle.

— Laquelle ? demanda Montalbano.

— Tu ne te souviens pas ? Quand on s'est vus pour la première fois. Moi, je m'étais foulé une cheville, toi tu m'as conduite ici, tu m'as fait un massage…

Maintenant, il se rappelait, bien sûr. Tandis que la Suédoise se trouvait demi-nue sur le lit, était arrivée Anna, une inspectrice de police qui était amoureuse de lui. Elle s'était méprise et il s'était ensuivi un bordel invraisemblable. Livia et Ingrid s'étaient-elles jamais rencontrées ? Peut-être que oui, à l'hôpital, quand il avait été blessé…

Sous la lente caresse continue de la Suédoise, il commença à sentir ses paupières tomber. Il s'abandonna à une très plaisante somnolence.

— Lève-toi. Je dois te bander.

» Lève le bras.

» Tourne-toi plus vers moi.

Il obéissait, un sourire satisfait aux lèvres.

— J'ai fini, dit Ingrid. D'ici une demi-heure, tu vas te sentir mieux.

— Et mon gros orteil ? demanda-t-il, la bouche pâteuse.

— Qu'est-ce que tu dis ?

Sans piper mot, le commissaire tira son pied de sous le drap. Ingrid recommença à besogner.

Il rouvrit les yeux. De la salle à manger, lui arrivait la voix d'un homme qui parlait tout bas. Il fixa l'horloge, il était onze heures passées. Il se sentait beaucoup mieux. Est-ce qu'Ingrid aurait appelé un médecin ? Il se leva et, en caleçon comme il était, épaule, poitrine et gros orteil bandés, il alla voir. Ce n'était pas le docteur, ou plutôt, c'en était bien un, mais il parlait à la télévision d'un miraculeux régime amaigrissant. La Suédoise était assise dans un fauteuil. Elle bondit sur ses pieds quand elle le vit entrer.

— Tu vas mieux ?

— Oui. Merci.

— J'ai préparé le repas, si tu as faim.

La table avait été dressée. Les rougets, sortis du réfrigérateur, n'attendaient que d'être mangés. Ils s'assirent. Tandis qu'ils faisaient les portions, Montalbano demanda :

233

— Comment ça se fait que tu ne m'as pas attendu au bar de Marinella ?

— Salvo, au bout d'une heure ?

— Eh oui, excuse-moi. Pourquoi tu n'es pas venue en voiture ?

— Je n'en ai pas. Je l'ai amenée chez le mécanicien. Je me suis fait accompagner par un ami jusqu'au bar. Puis, vu que tu n'arrivais pas, j'ai décidé de faire une promenade et de venir ici. Tôt ou tard, tu rentrerais bien chez toi.

Tandis qu'ils mangeaient, le commissaire la fixa. Ingrid devenait toujours plus belle. Aux coins des lèvres, elle avait maintenant une petite ride qui la rendait plus mûre et plus consciente. Quelle femme extraordinaire ! Il ne lui était même pas passé par l'antichambre de la coucourde de lui demander comment il s'était provoqué ces dégâts à l'épaule. Elle mangeait avec le plaisir de manger, les rougets avaient été scrupuleusement répartis à trois par tête. Et elle buvait avec plaisir : elle en était déjà à son troisième verre alors que Montalbano était encore arrêté au premier.

— Qu'est-ce que tu me voulais ?

La question étonna le commissaire.

— Je n'ai pas compris.

— Salvo, tu m'as téléphoné pour me dire que…

La cassette vidéo ! Ça lui était sorti de la tête.

— Je voulais te faire voir une chose. Mais avant, finissons. Tu veux des fruits ?

Puis, une fois Ingrid installée dans le fauteuil, il prit en main la cassette.

— Mais ce film, je l'ai déjà vu ! protesta la femme.

— Il ne s'agit pas de voir le film. Mais un enregistrement sur le ruban.

Il glissa la cassette dans son logement, la fit partir, s'assit dans l'autre fauteuil. Puis, avec la télécommande, il mit l'avance rapide jusqu'à ce qu'apparaisse le cadrage sur le lit vide sur lequel l'opérateur s'efforçait de faire le point.

— Ça me paraît un début prometteur, dit la Suédoise en souriant.

Ecran noir. L'image reparut et sur le lit se trouvait maintenant la maîtresse de Nenè Sanfilippo dans la position de *La Maja desnuda*. Un instant plus tard, Ingrid était debout, surprise et troublée.

— Mais c'est Vania, cria-t-elle presque.

Jamais Montalbano n'avait vu Ingrid aussi secouée, jamais, même quand on s'était arrangé pour qu'elle soit soupçonnée d'un crime ou quasiment.

— Tu la connais ?

— Bien sûr !

— Vous êtes amies ?

— Assez.

Montalbano éteignit la télévision.

— Comment as-tu eu la bande ?

— On en parle à côté ? La douleur m'est un peu revenue.

Il se mit au lit. Ingrid s'assit sur le bord.

— Comme ça, je suis mal, se lamenta le commissaire.

Ingrid se dressa, l'aida à se soulever, glissa un coussin derrière son dos de manière à ce qu'il reste à moitié relevé. Montalbano commençait à y prendre goût, à avoir une infirmière.

— Comment as-tu eu la cassette ? demanda encore Ingrid.

— C'est mon adjoint qui l'a trouvée chez Nenè Sanfilippo.

— Et qui est-ce ? demanda Ingrid en plissant le front.

— Tu ne sais pas ? C'est ce garçon de vingt ans qu'on a abattu il y a quelques jours.

— Oui, j'en ai entendu parler. Mais pourquoi avait-il la cassette ?

La Suédoise était absolument sincère, elle semblait authentiquement étonnée par toute l'affaire.

— Parce que c'était son amant.

— Comment ça ? Un gamin ?

— Oui. Elle ne t'en a jamais parlé ?

— Jamais. Du moins, elle n'a jamais prononcé son nom. Vania était très réservée.

— Comment vous êtes-vous connues ?

— Tu sais, à Montelusa, des étrangères bien mariées, il y a moi, deux Anglaises, une Américaine, deux Allemandes et Vania qui est roumaine. Nous avons fait une espèce de club, comme ça, par jeu. Tu le sais qui est le mari de Vania ?

— Oui, le Pr Ingrò, le chirurgien des transplantations.

— Ben, d'après ce que j'ai compris, ce n'est pas un homme aimable. Vania, bien qu'elle ait plus de vingt ans de moins que lui, a bien vécu avec lui pendant quelque temps. Puis l'amour a passé, même de la part du mari. Ils ont commencé à se voir toujours moins, lui, il était très souvent en voyage à travers le monde.

— Elle avait des amants ?

— Que je sache, non. Elle lui a été très fidèle, malgré tout.

— Qu'est-ce que ça veut dire, malgré tout ?

— Par exemple, ils n'avaient plus de rapports. Et Vania est une femme qui…

— Je comprends.

— Puis, à l'improviste, voilà trois mois, elle a changé. Elle devint plus joyeuse et plus triste à la fois. Je compris qu'elle était tombée amoureuse. Je lui ai posé la question. Elle m'a répondu oui. C'était, d'après ce que je crus comprendre, une grande passion physique, surtout.

— Je voudrais la rencontrer.

— Qui ?

— Comment, qui ? Ton amie.

— Mais elle est partie il y a une quinzaine de jours !

— Tu sais où elle est ?

— Bien sûr. Dans un petit village près de Bucarest. J'ai l'adresse et le numéro de téléphone. Elle m'a écrit un mot. Elle dit qu'elle a dû rentrer en Roumanie parce que son père va mal depuis qu'il est tombé en disgrâce et qu'il n'est plus ministre.

— Tu sais quand elle rentre ?

— Non.

— Tu connais bien le Pr Ingrò ?

— J'ai dû le voir trois fois maximum. Une fois, il est venu chez moi. C'est un type très élégant, mais distant. Il paraît qu'il a une extraordinaire collection de tableaux. Vania dit que c'est une espèce de maladie, cette histoire des tableaux. Il a dépensé une incroyable quantité d'argent.

— Penses-y bien, avant de répondre : est-ce qu'il serait capable de tuer ou de faire tuer l'amant de Vania s'il découvrait qu'elle le trahit ?

Ingrid rit.

— Mais qu'est-ce que tu racontes ! Il s'en foutait éperdument, maintenant, de Vania !

— Mais il ne se pourrait pas que le départ de Vania soit dû au mari pour l'éloigner de son amant ?

— Ça oui, c'est possible. S'il l'a fait, c'est seulement pour éviter des bruits éventuels, des bavardages désagréables. Mais ce n'est pas un homme capable d'aller plus loin.

Ils se regardèrent en silence. Il n'y avait rien d'autre à dire. A l'improviste, une pensée surgit dans l'esprit de Montalbano.

— Si tu n'as pas la voiture, comment tu fais pour rentrer ?

— J'appelle un taxi ?

— A cette heure ?

— Alors, je dors ici.

Montalbano sentit son front se couvrir de sueur.

— Et ton mari ?

— Ne t'inquiète pas.

— Ecoute, faisons comme ça. Tu te prends ma voiture et tu t'en vas.

— Et toi ?

— Demain matin, je fais venir quelqu'un pour me chercher.

Ingrid le regarda en silence.

— Tu me prends pour une putain en chaleur ? demanda-t-elle avec le plus grand sérieux, une espèce de mélancolie dans le regard.

Le commissaire eut honte.

— Reste, ça me fait plaisir, dit-il, sincère.

Comme si elle habitait depuis toujours dans cette maison, Ingrid ouvrit un tiroir de la commode, prit une chemise propre.

— Je peux la mettre ?

Au milieu de la nuit, Montalbano, endormi, comprit qu'il avait un corps de femme couché à côté de lui. Ce ne pouvait être que Livia. Il allongea une main et la posa sur une fesse ferme et lisse. Puis, d'un coup, une décharge électrique le foudroya. Seigneur, ce n'était pas Livia. Il retira brusquement sa main.

— Remets-la, là, dit, pâteuse, la voix d'Ingrid.

— Il est six heures et demie. Le café est prêt, dit Ingrid en lui touchant avec délicatesse l'épaule abîmée.

238

Le commissaire ouvrit les yeux. Ingrid ne portait que sa chemise.

— Excuse-moi si je t'ai réveillé si tôt. Mais toi-même, avant de t'endormir, tu m'as dit que tu devais te trouver au bureau à huit heures.

Il se leva. Il avait moins mal, mais le pansement serré lui rendait les mouvements difficiles. La Suédoise le lui enleva.

— Je te le refais après ta toilette.

Ils burent le café. Montalbano dut se servir de la main gauche, la droite était encore engourdie. Comment allait-il faire pour se laver ? Ingrid parut lui lire dans la tête.

— Je m'en occupe, dit-elle.

Dans la salle de bains, elle aida le commissaire à retirer son caleçon. Elle retira la chemise. Montalbano évita soigneusement de la regarder. Ingrid, en revanche, se conduisait comme s'ils étaient mariés depuis dix ans.

Sous la douche, elle le savonna. Montalbano ne réagit pas, il lui semblait, et la chose lui faisait plaisir, être redevenu un minot, quand des mains aimantes opéraient sur son corps le même travail.

— Je note d'évidents signes de réveil, dit Ingrid en riant.

Montalbano baissa les yeux et rougit violemment. Les signes étaient plus qu'évidents.

— Excuse-moi, je suis désolé.

— De quoi tu te désoles ? demanda Ingrid. D'être un homme ?

— Ouvre l'eau froide, ça vaut mieux, dit le commissaire.

Après, il y eut le calvaire du séchage. Il enfila le caleçon avec un soupir de satisfaction, comme si c'était le signal de la fin des périls. Avant de lui refaire son pansement, Ingrid se rhabilla. Ainsi, tout, du côté du commissaire, put se dérouler dans la plus grande tranquillité. Avant de sortir, ils se refirent une autre tasse de café. Ingrid se mit au volant.

— Maintenant, tu me laisses au commissariat et puis tu continues jusqu'à Montelusa avec ma voiture, dit Montalbano.

— Non, dit Ingrid. Je te dépose au commissariat et je prends un taxi. Ça me sera plus facile que de devoir te ramener l'auto.

Pendant la moitié du trajet, ils gardèrent le silence. Mais une pinsée macérait dans la coucourde du commissaire. A un certain moment, il rassembla son courage et demanda :

— Qu'est-ce qui s'est passé entre nous, cette nuit ?

Ingrid rit.

— Tu ne t'en souviens pas ?

— Non.

— C'est important pour toi, de t'en souvenir ?

— Je dirais que oui.

— Bien. Tu sais ce qui s'est passé ? Rien, si tes scrupules veulent qu'il ne se soit rien passé.

— Et si je n'avais pas ces scrupules ?

— Alors, il s'est passé de tout. Comme ça t'arrange le mieux.

Il y eut un silence.

— Tu penses qu'après cette nuit, nos rapports ont changé ? demanda Ingrid.

— Absolument pas, répondit Montalbano, sincère.

— Et alors ? Pourquoi tu poses des questions ?

Le raisonnement se tenait. Et Montalbano ne posa pas d'autres questions. Tandis qu'elle s'arrêtait devant le commissariat, elle demanda :

— Tu le veux, le numéro de Vania ?

— Bien sûr.

— Je te le téléphone dans la matinée.

Tandis qu'Ingrid, une fois la portière ouverte, aidait Montalbano à descendre, sur le seuil du commissariat apparut Mimì Augello qui s'immobilisa, très intéressé par la scène. Ingrid s'éloigna rapidement après avoir déposé un léger baiser sur la bouche du commissaire. Mimì continua à la regarder s'éloigner jusqu'à ce qu'elle ait disparu à sa vue. Avec bien de la peine, le commissaire se hissa sur le trottoir.

— J'ai mal partout, dit-il en passant devant Augello.

— Tu vois ce qui arrive quand on fait des folies de son corps ?

Le commissaire lui aurait bien cassé les dents d'un coup de poing, mais il eut peur de se faire trop mal au bras.

Seize

— Donc, Mimì, suis-moi attentivement mais sans te distraire de la conduite. J'ai déjà une épaule en marmelade et je ne voudrais pas d'autres dégâts. Et surtout, ne m'interromps pas avec tes questions, parce qu'autrement, je perds le fil. Tu me les poses toutes ensemble, à la fin. D'accord ?

— D'accord.

— Et ne me demande pas comment j'en suis venu à découvrir certaines choses.

— D'accord.

— Ni de détails inutiles, d'accord ?

— D'accord. Avant que tu commences, je peux t'en poser une ?

— Une seule.

— En plus du bras, tu t'es peut-être cogné la tête ?

— Qu'est-ce que tu vas chercher ?

— T'es là à me les casser sans arrêt à me demander si je suis d'accord. T'es obsédé ou quoi ? Je déclare être d'accord sur tout, même sur ce que je ne connais pas. Ça te va comme ça ? Accouche.

— Mme Margherita Griffo, maîtresse d'école, avait un frère et une sœur, Giuliana, qui vivait à Trapani.

— Elle est morte ?

— Tu vois ? Tu vois ? se récria le commissaire. Et dire que tu avais promis ! Et tu viens me faire chier avec une question à la con ! Bien sûr qu'elle est morte, j'ai dit « avait » et « vivait » !

Augello ne souffla pas un mot.

— Margherita et sa sœur ne se parlaient plus depuis qu'elles étaient jeunes, à cause d'une histoire d'héritage. Mais un jour, les deux sœurs ont recommencé à se téléphoner. Quand Margherita apprend que Giuliana va mourir, elle va la trouver avec son mari. Ils sont hébergés chez Giuliana. Avec la moribonde habite, depuis des temps immémoriaux, une amie à elle, Mlle Baeri. Les Griffo apprennent que Giuliana, par testament, a laissé à sa sœur une ex-écurie avec un peu de terrain autour dans une localité de Vigàta appelée « Le Maure » ; celle où on est en train d'aller. Ce n'est qu'un legs affectif, ça ne vaut rien. Le lendemain des funérailles, quand les Griffo sont encore à Trapani, un homme téléphone en se disant intéressé par l'ex-écurie. Ce type ne sait pas que Giuliana est morte. Alors, Mlle Baeri lui passe Alfonso Griffo. Et elle fait bien, parce que sa femme est la nouvelle propriétaire. Les deux hommes se parlent au téléphone. Sur le contenu du coup de fil, Alfonso se montre évasif. Il dit à sa femme seulement qu'a appelé un type qui habite dans le même immeuble qu'eux.

— Seigneur ! Nenè Sanfilippo ! s'exclama Mimì en faisant une embardée.

— Ou tu conduis bien, ou je ne te raconte plus rien. Le fait que les propriétaires de l'ex-écurie sont les locataires de l'étage au-dessus de chez Nenè est une magnifique coïncidence.

— Halte. Tu es sûr qu'il s'agit d'une coïncidence ?

— Oui, c'en est une. Entre parenthèses, si je dois

supporter tes questions, il faudrait qu'elles soient intel-
ligentes. C'est une coïncidence. Sanfilippo ne savait
pas que Giuliana était morte, et il n'avait pas d'intérêt à
feindre de l'ignorer. Il ne savait pas que l'ex-écurie était
passée entre les mains de Mme Griffo parce que le testament n'avait pas encore été publié.

— D'accord.

— Quelques heures plus tard, les deux hommes se
sont rencontrés.

— A Vigàta ?

— Non, à Trapani. Sanfilippo, moins il se fait voir à
Vigàta avec Griffo, mieux c'est. Je parie mes burnes
que Sanfilippo raconte au vieux l'histoire d'un amour
bouleversant et aussi dangereux... Si on découvre la
relation, il peut y avoir un massacre... En somme, l'ex-
écurie lui sert pour la transformer en pied-à-terre. Mais
il y a des règles à respecter. L'impôt sur la succession
ne sera pas déclaré, si on le découvre, ce sera Sanfilippo
qui paiera ; les Griffo ne doivent pas mettre le pied dans
leur propriété ; à partir de ce moment, s'ils se rencon-
trent à Vigàta, ils ne devront même pas se dire bonjour ;
ils ne devront pas parler de l'affaire à leur fils. Attachés
comme ils sont à l'argent, les deux vieux acceptent les
conditions et empochent leurs deux premiers millions.

— Mais pourquoi Sanfilippo a-t-il besoin d'un
endroit si isolé ?

— Certes pas pour en faire un abattoir. Entre autres,
il n'y a pas d'eau, pas même de toilettes. Si ça presse, tu
dois aller le faire à l'extérieur.

— Et alors ?

— Tu vas t'en rendre compte toi-même. Tu la vois la
chapelle ? Après, il y a une draille à main gauche.
Prends-la et vas-y doucement, que c'est plein de trous
et de bosses.

La porte était appuyée aux montants exactement

244

comme il l'avait placée le soir précédent. Personne n'était entré. Mimì la déplaça, ils entrèrent et tout de suite la pièce parut plus petite qu'elle ne l'était.

Augello regarda autour de lui en silence.

— Ils ont complètement nettoyé, dit-il.

— Tu vois, toutes ces prises ? dit Montalbano. Il se fait installer l'électricité et le téléphone, mais pas les toilettes. Ça, c'était son bureau, où il pouvait venir faire chaque jour sa besogne d'employé.

— Employé ?

— Bien sûr. Il travaillait pour des tiers.

— Et qui étaient ces tiers ?

— Ceux-là mêmes qui lui avaient donné mission de trouver un lieu isolé, loin de tout et de tous. Tu veux que je fasse des hypothèses ? La première, des trafiquants de drogue. La deuxième, des pédophiles. Et puis vient une belle procession de gens louches qui se servent d'Internet. De là, Sanfilippo pouvait se mettre en contact avec le monde entier. Il naviguait, il rencontrait, il communiquait et puis il référait à ses employeurs. Ça a continué tranquillement pendant deux ans. Après, il s'est passé quelque chose de grave ; il a fallu vider les lieux, couper les liens, faire perdre les traces. Sur mission de ses supérieurs, Sanfilippo convainc les Griffo de se faire une belle excursion à Tindari.

— Mais dans quel but ?

— Il a dû les embobiner avec une connerie quelconque, ces pauvres vieux. Par exemple, que le dangereux mari avait découvert l'intrigue, qu'il les tuerait eux aussi tous les deux comme complices… Lui, il avait eu une belle idée : pourquoi ils ne feraient pas l'excursion à Tindari ? Au cornard furieux, il ne viendrait jamais à l'esprit d'aller les chercher dans l'autocar… Il suffira de rester loin de la maison une journée, entre-temps, des amis interviendront, ils vont essayer de calmer le cocu… Lui aussi fera la même excursion, mais en voiture. Les vieux, terrorisés, acceptent. Sanfilippo dit qu'il suivra les développements de la situation sur son mobile. Avant d'arriver à Vigàta, le vieux doit demander un arrêt supplémentaire. Comme ça, Sanfilippo les mettra au courant de la situation. Tout se passe comme prévu. Sauf qu'à l'arrêt avant Vigàta, Sanfilippo dit aux deux vieux que rien n'est encore résolu, qu'il vaut mieux qu'ils passent la nuit hors de chez eux. Il les fait monter dans sa voiture et puis les remet au bourreau. A ce moment, il ne sait pas que lui aussi est promis à la mort.

— Tu ne m'as pas encore expliqué pourquoi il était nécessaire d'éloigner les Griffo. Ils ne savaient même pas où était leur propriété !

— Quelqu'un devait entrer chez eux et faire disparaître les documents qui concernaient la propriété, justement. Par exemple, la copie du testament. Quelques lettres de Giuliana à sa sœur, où elle avait peut-être écrit qu'elle se souviendrait d'elle grâce à ce legs. Des choses de ce genre. Celui qui va fouiller, il trouve aussi un livret postal avec une somme qui semblerait excessive pour deux pauvres retraités. Il le fait disparaître. Mais c'est une erreur. Ça va éveiller mes soupçons.

— Salvo, sincèrement, cette histoire de l'excursion à Tindari, ça me convainc pas, du moins comme tu la reconstruis, toi. En quoi c'était nécessaire ? Ces gens, sous une excuse quelconque, ils entraient chez les Griffo et faisaient ce qu'ils voulaient !

— Oui, mais après, ils auraient dû les tuer là, dans leur appartement. Et ils auraient alarmé Sanfilippo, auquel les assassins auront certainement dit qu'ils n'avaient aucune intention de les tuer, mais de les terroriser juste ce qu'il fallait… En outre, n'oublie pas qu'ils avaient tout intérêt à nous faire croire qu'entre la disparition des Griffo et le meurtre de Sanfilippo, il n'y avait pas de rapport. Et de fait : combien on a mis à comprendre que les deux histoires étaient mêlées ?

— Tu as peut-être raison.

— Pas peut-être, Mimì. Puis, après qu'ils ont vidé cet endroit avec l'aide de Sanfilippo, ils emmènent avec eux le jeune. Peut-être sous l'excuse de devoir parler de la réorganisation du bureau. Et pendant ce temps, ils vont faire dans son appartement ce qu'ils ont fait chez Griffo. Ils emportent les factures d'électricité et de téléphone d'ici, pour donner un exemple. De fait, nous ne les avons pas trouvées. Sanfilippo, ils le font rentrer chez lui tard dans la nuit et...

— Quel besoin avaient-ils de le laisser rentrer ? Ils pouvaient le tuer là où ils l'avaient conduit.

— Et comme ça, dans le même immeuble, nous aurions eu trois disparitions mystérieuses ?

— C'est vrai.

— Sanfilippo rentre chez lui, c'est presque le matin, il descend de sa voiture, met la clé dans la serrure de la porte de l'immeuble et alors ceux qui l'attendaient l'appellent.

— Et maintenant, comment on procède ? demanda au bout de quelques instants Augello.

— Je ne sais pas, répondit Montalbano. On peut s'en aller d'ici. Il est inutile d'appeler la Scientifique pour les empreintes digitales. Ils ont dû passer l'estrasse jusqu'au plafond, pour nettoyer.

Ils montèrent en voiture, partirent.

— C'est sûr que t'en as, de l'imagination, commenta Mimì qui avait repensé à la reconstruction du commissaire. Quand tu pars à la retraite, tu peux te mettre à écrire des romans.

— J'écrirais sûrement des polars. Et ça ne vaut pas le coup.

— Pourquoi tu dis ça ?

— Le polar, certains critiques et certains universitaires, ou qui aspirent à l'être, le considèrent comme un genre mineur, tant il est vrai que dans les histoires de la littérature, on n'en parle même pas.

— Et qu'est-ce que ça peut te foutre ? Tu veux passer dans l'histoire de la littérature avec Dante et Manzoni ?

— J'aurais honte.

— Alors, écris-les et c'est tout.

Au bout d'un petit moment, Augello reprit la parole.

— Ça veut dire que la journée d'hier, je l'ai perdue.

— Pourquoi ?

— Comment, pourquoi ? Tu te l'es oublié ? Je n'ai fait que recueillir des informations sur le Pr Ingrò, comme on avait décidé quand on pensait que Sanfilippo avait été tué pour une histoire de cocu.

— Ah oui. Ben, parle-m'en quand même.

— C'est vraiment une célébrité mondiale. Entre Vigàta et Caltanisseta, il a une clinique très sélecte où vont des VIP choisis en petit nombre. Je suis allé la voir du dehors. C'est une villa entourée d'un mur très haut, avec un énorme espace à l'intérieur. Imagine que l'hélicoptère y atterrit. Il y a deux gardiens armés. Je me suis informé et on m'a dit que la villa est momentanément fermée. Mais le Pr Ingrò opère pratiquement où il veut.

— Actuellement, il est où ?

— Tu sais quoi ? Cet ami à moi qui le connaît dit qu'il s'est retiré dans sa villa au bord de la mer, entre Vigàta et Santolì. Il dit qu'il est en train de passer un sale moment.

— Peut-être parce qu'il a appris la trahison de sa femme.

— Peut-être. Cet ami m'a dit que, qu'il y a peut-être deux ans, le médecin a eu un moment de crise, mais qu'ensuite, il s'est repris.

— Et on imagine que cette fois-là aussi, sa gentille conjointe…

— Non, Salvo, cette fois, il y a eu une raison plus forte, on m'a dit. Il n'y a rien de certain, ce sont des bruits. Il paraît qu'il avait proposé une somme énorme pour acheter un tableau. Il ne l'avait pas. Il a signé quelques chèques en bois, on l'a menacé de porter plainte. Puis, il a trouvé l'argent et tout s'est arrangé.

— Où est-ce qu'il les garde, les tableaux ?

— Dans un caveau. Chez lui, il n'y a que des reproductions.

Après un autre silence, Augello lui demanda, prudent :

— Et toi, avec Ingrid, qu'est-ce que tu as fabriqué ?

Montalbano le prit de haut.

— Mimì, ce genre de discours ne me plaît pas.

— Mais moi, je te demandais si tu avais su quelque chose de Vania, la femme d'Ingrò.

— Ingrid savait que Vania avait un amant, mais elle ne connaissait pas son nom. La preuve, elle n'a pas fait le lien entre son amie et le meurtre de Nenè Sanfilippo. En tout cas, Vania est partie, rentrée en Roumanie pour trouver son père malade. Elle est partie avant qu'on lui tue son amant.

Ils arrivaient au commissariat.

— Comme ça, juste par curiosité, le roman de Sanfilippo, tu l'as lu ?

— Crois-moi, je n'ai pas eu le temps. Je l'ai feuilleté. C'est curieux : il y a des pages bien écrites, et d'autres mal.

— Tu me l'amènes cet après-midi ?

En entrant, il remarqua qu'au standard, il y avait Galluzzo.

— Où il est, Catarella, que je l'ai pas vu depuis ce matin ?

— *Dottore*, on l'a appelé à Montelusa pour une séance de formation permanente dans les ordinateurs. Il rentre ce soir vers les cinq heures et demie.

— Alors, comment procédons-nous ? demanda de nouveau Augello qui avait suivi son chef.

— Ecoute, Mimì. Moi, j'ai reçu du questeur l'ordre de m'occuper seulement de petites affaires. Le meurtre des Griffo et de Sanfilippo, d'après toi, c'est une grosse ou une petite affaire ?

— Grosse. Et vraiment.

— Donc, ce n'est pas notre tâche. Toi, prépare-moi un rapport au questeur, dans lequel tu racontes seulement les faits, j'insiste, pas ce que je pense moi. Comme ça, il refile le boulot au chef de la Criminelle, si entre-temps ça lui a passé, la chiasse ou je ne sais quoi.

— Et on lui sert bien chaude une histoire comme celle-là ? réagit Augello. Ils vont même pas nous remercier !

— Tu y tiens tant, aux remerciements ? Essaie plutôt de bien l'écrire, le rapport. Demain matin, tu me l'apportes et je le signe.

— Qu'est-ce que ça veut dire, bien l'écrire ?

— Que tu dois l'assaisonner avec des choses comme : « nous étant transportés sur les lieux, ce que toutefois, de quoi il appert, nonobstant ». Ainsi ils se trouveront en territoire connu, avec leur langage, et ils prendront l'affaire en considération.

Pendant une heure, il glanda. Il appela Fazio.

— Des nouvelles de Japichinu ?

— Rien, officiellement, il est toujours en cavale.

— Comment va ce chômeur qui a voulu se suicider par le feu ?

— Il va mieux, mais il n'est pas encore hors de danger.

Gallo, lui, vint raconter qu'un groupe d'Albanais s'était échappé du camp de prisonniers qui servait de lieu d'accueil.

— Vous les avez retrouvés ?

— Pas un, *dottore*. Et on les retrouvera pas.

— Pourquoi ?

— Parce que ce sont des fuites organisées avec d'autres Albanais qui ont pris racine ici. Un de mes collègues de Montelusa soutient qu'il y a des Albanais qui, au contraire, s'enfuient pour rentrer en Albanie. Tout compte fait, ils ont découvert qu'ils se trouvent mieux chez eux. Un million par tête pour venir et deux millions pour rentrer. Les passeurs y gagnent toujours.

— Qu'est-ce que c'est, une blague ?

— Moi, je crois pas, dit Gallo.

Puis le téléphone sonna. C'était Ingrid.

— Je t'ai appelé pour te donner le numéro de Vania.

Montalbano l'écrivit. Et au lieu de lui dire au revoir, Ingrid ajouta :

— Je lui ai parlé.

— Quand ?

— Avant de t'appeler. Ça a été un long coup de fil.

— Tu veux qu'on se voie ?

— Oui, ça vaut mieux. J'ai même ma voiture, on me l'a rendue.

— Très bien, comme ça tu me changes le pansement. Retrouvons-nous à la trattoria San Calogero.

Il y avait quelque chose qui ne tournait pas rond dans la voix d'Ingrid, elle semblait inquiète.

Parmi les autres dons que *u Signiruzzu*, le doux Seigneur, lui avait prodigués, la Suédoise possédait aussi celui de la ponctualité. Ils entrèrent et la première chose que le commissaire vit, ce fut un couple assis à une table pour quatre : Mimì et Beba. Augello se leva d'un bond. Bien qu'il fût propriétaire d'une tête de type culotté, il avait légèrement rougi. Du geste, il invita à sa table le commissaire et Ingrid.

— Nous ne voudrions pas déranger, dit, hypocrite, Montalbano.

— Mais non, qu'est-ce que tu vas chercher ! rétorqua Mimì, encore plus hypocrite.

Les femmes se présentèrent l'une à l'autre. Elles échangèrent un sourire sincère, ouvert, et le commissaire remercia le Ciel. Manger avec deux femmes qui ne se plaisaient pas devait être une épreuve difficile. Mais l'œil perçant du flic Montalbano remarqua quelque chose qui le préoccupa : entre Mimì et Beatrice, il y avait une espèce de tension. Ou c'était sa présence qui les mettait mal à l'aise ? Ils commandèrent tous quatre la même chose : hors-d'œuvre de la mer et un plat gigantesque de poissons grillés. Au milieu d'une limande, Montalbano conclut qu'entre son adjoint et Beba, il avait dû y avoir une petite engueulade que peut-être leur arrivée avait interrompue. Seigneur ! Il fallait faire en sorte que ces deux-là se raccommodent. Il était en train de se torturer le ciboulot pour trouver une solution quand il vit la main de Beatrice se poser, légère, sur celle de Mimì. Augello regarda la petite, la petite regarda Augello. Pendant quelques secondes, ils se noyèrent chacun dans les yeux de l'autre. La paix ! Ils avaient fait la paix ! La nourriture, pour le commissaire, descendit mieux.

— Allons à Marinella avec deux voitures, dit Ingrid à la sortie de la trattoria. Je dois rentrer vite à Montelusa, j'ai à faire.

L'épaule du commissaire allait beaucoup mieux. Tandis qu'elle lui changeait son pansement, elle dit :

— Je suis un peu troublée.

— A cause du coup de fil ?

— Oui. Tu vois…

— Après, dit le commissaire. Parlons-en après.

Il était en train de goûter la fraîcheur sur sa peau de la pommade que lui passait Ingrid. Et il lui plaisait – pourquoi ne pas l'admettre ? – que les mains de la femme, pratiquement, lui caressent l'épaule, les bras, la poitrine. Et tout à coup, il s'aperçut qu'il gardait les yeux fermés, et qu'il était sur le point de ronronner.

— J'ai fini, dit Ingrid.

— Mettons-nous sous la véranda. Tu veux un whisky ?

Ingrid accepta. Pendant un moment, ils restèrent à regarder la mer en silence. Puis ce fut le commissaire qui commença.

— Comment ça se fait que tu as pensé à lui téléphoner ?

— Ben, une impulsion soudaine, pendant que je cherchais la carte postale pour te donner le numéro.

— Bon, vas-y, raconte.

— Dès que je lui ai dit que c'était moi, elle m'a semblé effrayée. Elle m'a demandé s'il s'était passé quelque chose. Et moi, je me suis retrouvée embarrassée. Je me suis demandé si elle était au courant de l'assassinat de son amant. D'autre part, elle n'en avait pas prononcé le nom. Je lui ai répondu qu'il ne s'était rien passé, que je désirais seulement avoir de ses nouvelles. Alors, elle m'a dit qu'elle allait rester longtemps éloignée. Et elle s'est mise à pleurer.

— Elle t'a expliqué pourquoi elle voulait rester à l'écart ?

— Oui. Je te raconte les faits dans l'ordre, alors qu'elle me les a rapportés par bribes et dans le désordre. Un soir, Vania, certaine que son mari n'était pas en ville et qu'il resterait absent pendant quelques jours, amène son amant, comme ils l'avaient fait tant de fois, dans sa villa proche de Santolì. Pendant qu'ils dormaient, ils ont été réveillés par quelqu'un qui était entré dans la chambre à coucher. C'était le Pr Ingrò. « Alors, c'est vrai », a-t-il murmuré. Vania dit que son mari et le garçon se sont longuement regardés. Puis le docteur lui a dit : « Viens par là », et il est allé au salon. Sans mot dire, le garçon s'est rhabillé et a rejoint le médecin. Ce qui a le plus impressionné mon amie, c'est que… bon, elle a eu l'impression que les deux hommes se connaissaient déjà. Et bien, même.

— Attends un moment. Tu le sais comment ils se sont rencontrés, la première fois, Vania et Nenè Sanfilippo ?

— Oui, elle me l'a dit quand je lui ai demandé si elle était tombée amoureuse, avant qu'elle parte. Ils s'étaient connus par hasard dans un bar de Montelusa.

— Sanfilippo savait avec qui était mariée ton amie ?

— Oui, Vania le lui avait dit.

— Continue.

— Puis le mari et Nenè… Vania, à ce point du récit, a dit comme ça : « Il s'appelle Nenè »… ils sont revenus dans la chambre à coucher et…

— Elle a dit vraiment « il s'appelle » ? Elle a utilisé le présent ?

— Oui. Et je l'ai remarqué moi aussi. Elle ne sait pas encore que son amant a été assassiné. Je disais : les deux hommes sont revenus et Nenè, les yeux baissés, a murmuré que leur rapport avait été une grave erreur, que la faute lui revenait et qu'ils ne devaient jamais plus se revoir. Et il s'en est allé. Ingrò fit de même peu après, sans mot dire. Vania ne savait plus que faire, elle était déçue par le comportement de Nenè. Elle a décidé de rester à la villa. Tard dans la matinée du lendemain, le médecin est revenu. Il a dit à Vania qu'elle devait rentrer immédiatement à Montelusa et faire ses bagages. Son billet pour Bucarest était déjà prêt. A l'aube, il la ferait accompagner en voiture à l'aéroport de Catane.

Dans la soirée, quand elle est restée seule à la maison, Vania a essayé d'appeler Nenè, mais il s'était mis hors de portée. Le lendemain, elle est partie. Et elle nous a justifié son départ, à nous ses amies, avec l'excuse de la maladie de son père. Elle m'a dit aussi que cet après-midi-là, quand son mari est venu la trouver pour lui dire de partir, il ne semblait pas lui en vouloir, il n'avait l'air ni blessé ni amer, mais préoccupé. Hier, le docteur lui a téléphoné, en lui conseillant de rester le plus longtemps possible où elle était. Et il n'a pas voulu dire pourquoi. Et voilà, c'est tout.

— Mais pourquoi tu te sens troublée ?

— Parce que, selon toi, ça, c'est le comportement normal d'un mari qui découvre sa femme au lit avec un autre, chez lui ?

— Mais tu m'as dit toi-même qu'ils ne s'aimaient plus !

— Et le comportement du garçon, il te semble normal ? Depuis quand, vous autres Siciliens, vous êtes tous devenus suédois ?

— Tu vois, Ingrid, Vania a probablement raison quand elle dit qu'Ingrò et Sanfilippo se connaissaient… Le garçon était un très bon informaticien et, des ordinateurs, c'est pas ce qui doit manquer à la clinique de Montelusa. Quand Nenè s'est mis avec Vania, au début, il ne savait pas qu'elle était la femme du médecin. Quand il l'a su, peut-être parce qu'elle le lui a dit, il est trop tard, ils sont déjà épris l'un de l'autre. Tout est tellement clair !

— Bof, fit Ingrid, hésitante.

— Ecoute : le garçon dit avoir fait une erreur. Et il a raison : parce que, certainement, il a perdu son travail. Et le docteur fait partir sa femme parce qu'il craint les bavardages, les conséquences… Imagine que les deux

amants, sur un coup de tête, s'enfuient ensemble…
mieux vaut éliminer les occasions.

Au coup d'œil qu'Ingrid lui lança, Montalbano comprit que ses explications n'avaient pas convaincu la femme. Mais vu qu'elle était comme elle était, elle ne posa pas d'autres questions.

Ingrid partie, il resta assis sous la véranda. Du port sortaient les bateaux pour la pêche de nuit. Il ne voulait pinser à rin. Puis il entendit un son harmonieux, très proche. Quelqu'un sifflotait. Qui ? Il regarda autour de lui. Personne. Mais c'était lui ! C'était lui qui sifflotait ! Dès qu'il en eut conscience, il n'y parvint plus. Donc, il y avait des moments, comme dans un dédoublement, où il savait aussi siffler. Il eut envie de rire.

« Dr Jekyll et Mr Hyde », murmura-t-il.

« Dr Jekyll et Mr Hyde. »

« Dr Jekyll et Mr Hyde. »

A la troisième fois, il ne souriait plus. Il était même devenu très sérieux. Son front suait pas mal.

Il se remplit un verre de whisky sec.

— *Dottori !* Ah, *dottori !* s'exclama Catarella dès qu'il le vit. C'est depuis hier que je cherche à vous remettre pirsonnellement en pirsonne une lettre que m'a donnée Me Guttadauro, qu'il me dit que je devais vous la remettre pirsonnellement en pirsonne !

Il la tira de sa poche, la lui tendit. Montalbano l'ouvrit.

« Cher commissaire, la personne que vous savez, mon client et ami, avait manifesté l'intention de vous écrire une lettre pour vous exprimer le sentiment de son admiration croissante envers vous. Puis il a changé d'idée et m'a prié de vous dire qu'il vous téléphonera. Veuillez agréer, cher commissaire, mes salutations les plus distinguées. Votre Guttadauro. »

Il la déchira en petits bouts, entra dans le bureau d'Augello. Mimì se trouvait à sa table de travail.

— Je suis en train d'écrire le rapport, dit-il.

— Laisse pisser, dit Montalbano.

— Qu'est-ce qui se passe ? demanda Augello, alarmé. Tu fais une tête qui ne me revient pas.

— Tu m'as apporté le roman ?

— Celui de Sanfilippo ? Oui.

Et il montra une enveloppe sur le bureau. Le commissaire la prit, se la mit sous le bras.

— Mais qu'est-ce que tu as ? insista Augello.

Le commissaire ne répondit pas.

— Je retourne à Marinella. Ne m'appelez pas. Je reviendrai au commissariat vers minuit. Et je vous veux tous réunis ici.

Dix-sept

A peine hors du commissariat, toute cette grande envie qu'il avait de courir se réfugier à Marinella pour se mettre à lire, lui tomba d'un coup, comme certaines fois le vent qui, un instant plus tôt déracine les arbres et un instant plus tard, disparaît, n'a jamais été là. Il monta en voiture et se dirigea vers le port. Arrivé dans les parages de ce dernier, il s'arrêta, descendit en emportant l'enveloppe. La virité vraie était que le courage lui manquait, il s'effrayait à l'idée de trouver l'exacte confirmation dans les paroles de Nenè Sanfilippo de l'intuition qui lui était passée par la tête après qu'Ingrid s'en fut allée. Il marcha sans hâte jusque sous le phare, s'assit sur le rocher plat. Puissante et âpre était l'odeur du *lippo*, la fourrure verte qui se trouve dans la partie basse des rochers, celle qui est en contact avec la mer. Il jeta un coup d'œil à sa montre : il avait encore plus d'une heure de lumière, s'il voulait, il pourrait commencer à lire ici même. Mais il ne se sentait pas encore de le faire, le cœur lui manquait. Et si, finalement, le texte de Sanfilippo devait se révéler une connerie de première grandeur, l'invention constipée d'un dilettante qui prétend écrire un roman seulement parce qu'à l'école élémentaire on lui a appris à faire des bâtons ? Chose qu'à présent, entre autres, on n'apprend même plus. Et ça, si jamais il en était besoin, c'était un autre signe que son paquetage d'années, il l'avait au complet. Mais continuer à garder en main ces pages, sans se résoudre dans un sens ou dans l'autre, lui donnait la *cardascìa*, une espèce de démangeaison sur la peau. Peut-être le mieux était-il d'aller à Marinella pour se mettre à lire sous la véranda. Là-bas, il respirait aussi bien l'air de la mer.

Au premier coup d'œil, il comprit que Nenè Sanfilippo, pour cacher ce qu'il avait réellement à dire, avait recouru au même système que celui qu'il avait utilisé pour l'enregistrement de Vania nue. Là, la bande commençait par une vingtaine de minutes de *Getaway* ; ici, en revanche, les premières pages étaient copiées sur un roman fameux : *Les Robots*, d'Asimov.

Montalbano mit deux heures à le lire tout entier, et au fur et à mesure qu'il approchait de la fin et qu'il lui apparaissait toujours plus clairement ce que Nenè Sanfilippo avait à raconter, sa main filait de plus en plus souvent vers la bouteille de whisky.

Le roman n'avait pas de fin, il s'interrompait au milieu d'une phrase. Mais ce qu'il avait lu lui suffisait amplement. Venu du fond de l'estomac un violent accès de nausée le prit à la gorge. Il courut aux toilettes en se retenant à grand-peine, s'agenouilla devant la cuvette et commença à vomir. Il vomit le whisky qu'il venait de boire, vomit les repas de la journée, et ceux de la journée d'avant et ceux de la journée d'avant encore et il lui sembla, sa tête transpirante plongée à présent dans la cuvette, une douleur aux flancs, vomir interminablement la durée entière de sa vie, en reculant toujours plus jusqu'à la bouillie qu'on lui donnait quand il était minot et quand il fut libéré même du lait de sa mère, il continua encore à vomir du venin amer, du fiel, de la haine pure.

Il réussit à se mettre debout en s'agrippant au lavabo, mais ses jambes le soutenaient avec difficulté. C'est sûr, il lui était venu quelques degrés de fièvre. Il se mit la tête sous le robinet ouvert.

« Trop vieux pour ce métier. »

Il se recroquevilla sur le lit, ferma très fort les yeux.

Il n'y resta pas longtemps. Il se leva, la tête lui tournait, mais la fureur aveugle qui l'avait submergé se changeait maintenant en détermination lucide. Il appela le bureau.

— Allons ? Allons ? Ici, ça serait le commissariat qui...

— Catarè, Montalbano, je suis. Passe-moi le *dottor* Augello, s'il est là.

Il était là.

— Je t'écoute, Salvo.

— Ecoute-moi bien, Mimì. A l'instant même, Fazio et toi, vous vous prenez une voiture, pas un véhicule de service, attention, et vous allez du côté de Santolì. Je veux savoir si la villa du Pr Ingrò est surveillée.

— Par qui ?

— Mimì, ne pose pas de questions. Si elle est surveillée, c'est sûrement pas par nous. Et vous devez vous arranger pour comprendre si le docteur est seul ou en compagnie. Prenez le temps qu'il faut pour être sûrs de ce que vous voyez. J'avais convoqué les hommes pour minuit. Contrordre, ce n'est plus nécessaire. Quand vous avez fini à Santolì, libère aussi Fazio et viens ici à Marinella pour me raconter comment ça se présente.

Il raccrocha et le téléphone sonna. C'était Livia.

— Comment se fait-il que tu sois déjà à la maison, à cette heure ? demanda-t-elle.

Elle était contente, plus que contente même, agréablement étonnée.

— Et toi, si tu sais qu'à cette heure, je ne suis jamais à la maison, pourquoi tu m'as téléphoné ?

A une question, il avait répondu par une autre question. Mais il avait besoin de prendre du temps, autrement Livia, qui le connaissait comme elle le connaissait, se serait rendu compte que chez lui, quelque chose ne tournait pas rond.

— Tu sais, Salvo, ça fait une heure ou presque qu'il m'arrive quelque chose de bizarre. Ça ne m'était jamais arrivé auparavant, ou plutôt, jamais si fort. C'est difficile à expliquer.

Maintenant, c'était Livia qui prenait son temps.

— Eh ben, essaie.

— Ben, c'est comme si tu étais là.

— Excuse-moi, mais…

— Tu as raison. Tu vois, quand je suis rentrée à la maison, je n'ai pas vu ma salle à manger, mais la tienne, celle de Marinella. Non, ce n'est pas exact, c'était ma chambre, bien sûr, mais en même temps, c'était la tienne.

— Comme dans les rêves.

— Oui, quelque chose de semblable. Et depuis, j'ai comme un dédoublement. Je suis à Boccadasse et en même temps, je suis avec toi à Marinella. C'est… c'est très beau. Je t'ai téléphoné parce que j'étais certaine de te trouver.

Pour ne pas s'abandonner à l'émotion, Montalbano essaya de donner dans la galéjade.

— Le fait est que tu es curieuse.

— Et de quoi ?

— De savoir comment est ma maison.

— Mais je la… réagit Livia.

Et elle s'interrompit. Elle s'était souvenu soudain du jeu qu'il avait proposé : se refiancer, tout recommencer à zéro.

— J'aimerais la connaître.

— Pourquoi tu ne viens pas ?

Il n'avait pas réussi à contrôler le ton, il lui était sorti une question authentique. Et Livia le nota.

— Qu'est-ce qui se passe, Salvo ?

— Rien. Un moment de cafard. Une sale affaire.

— Tu veux vraiment que je vienne ?

— Oui.

— Demain après-midi, je prends l'avion. Je t'aime.

Il devait faire passer le temps en attendant l'arrivée de Mimì. Il ne se sentait pas de manger, même s'il s'était vidé de tout le possible. Sa main, presque indépendamment de sa volonté, prit un livre sur l'étagère. Il considéra le titre : *L'Agent secret*, de Conrad. Il se souvenait qu'il lui avait plu, et beaucoup, mais il ne se rappelait rien d'autre. Souvent, il lui arrivait qu'en lisant les premières lignes, ou la conclusion, d'un roman, sa mémoire rouvrait un petit compartiment d'où sortaient personnages, situations, phrases. « En sortant le matin, M. Verloc laissait nominalement la boutique entre les mains de son beau-frère. » Le bouquin commençait ainsi et ces mots ne lui disaient rien. « Et il marchait, insoupçonné et mortel, comme une peste dans la rue grouillante. » C'étaient les derniers mots et ils lui disaient trop de choses. Et il lui revint à l'esprit une phrase de ce livre : « Aucune pitié pour rien, pas même pour eux-mêmes, et pour finir la mort mise au service du genre humain… » Il s'empressa de ranger le livre. Non, sa main n'avait pas agi indépendamment de ses pensées, elle avait été, inconsciemment certes, guidée par lui-même, par ce qu'il avait en lui. Il s'assit dans un fauteuil, alluma la télévision. La première image qu'il vit fut celle des prisonniers d'un camp de concentration, non pas à l'époque d'Hitler, mais aujourd'hui. Quelque part dans le monde : on ne comprenait pas où, parce que les visages de ceux qui subissent l'horreur sont tous semblables. Il éteignit. Il sortit sous la véranda, resta à fixer la mer, essayant de respirer au rythme du ressac.

Etait-ce la porte ou bien le téléphone ? Il regarda l'heure : onze heures passées, trop tôt pour Mimì.

— Allô ? Sinagra, je suis.

Le filet de voix de Balduccio Sinagra, qui semblait toujours près de rompre comme une toile d'araignée dans un souffle de vent, était impossible à confondre.

— Sinagra, si vous avez quelque chose à me dire, appelez-moi au commissariat.

— Attendez. Qu'est-ce que vous faites, vous avez peur ? Ce téléphone n'est pas surveillé. A moins que le vôtre soit sur écoute.

— Qu'est-ce que vous voulez ?

— Je voulais vous dire que je vais mal, très mal.

— Pourquoi, vous n'avez pas de nouvelles de Japichinu, votre petit-fils adoré ?

C'était un coup balancé direct dans les burnes. Et Balduccio Sinagra garda un instant le silence, le temps d'encaisser et de reprendre souffle.

— Je suis pirsuadé que mon petit-fils, où qu'il se trouve, est mieux que moi. Parce qu'à moi, les reins ne fonctionnent plus. J'aurais besoin d'une transplantation, que sinon je meurs.

Montalbano ne parla pas. Il laissait le faucon exécuter ses cercles concentriques de plus en plus serrés.

— Mais vous le savez, reprit le vieux, combien ils sont les malades qui ont besoin de cette opération ? Plus de dix mille, commissaire. A rispecter son tour, on a tout le temps de mourir.

Le faucon avait fini de tourner en rond, maintenant il devait se jeter à pic sur la cible.

— Et puis, il faut être sûr que celui qui te fait l'opération soit un type fiable, un bon…

— Comme le Pr Ingrò ?

Sur la cible, il était arrivé en premier, le faucon avait trop pris son temps. Il avait réussi à désamorcer la bombe que Sinagra tenait en main. Et il ne pourrait pas dire qu'il avait, pour la seconde fois, manœuvré le commissaire Montalbano comme une marionnette de l'*opera dei pupi*.

— Chapeau, commissaire, vraiment, chapeau.

Et il continua :

— Le Pr Ingrò est bien sûr la personne qu'il faut. Mais on me dit qu'il a dû firmer l'hôpital qu'il avait ici à Montelusa. Il paraît que lui aussi, le pôvre, il ne va pas trop bien, côté santé.

— Les médecins, qu'est-ce qu'ils disent ? C'est grave ?

— Encore, ils ne le savent pas, ils veulent être sûrs avant de décider le traitement. Mais, *commisario beddru*, mon beau commissaire, nous sommes tous dans les mains d'*o Signiruzzu*, du Seigneur !

Et il raccrocha.

Ensuite, enfin, on sonna à la porte. Il était en train de préparer le café.

— Il n'y a personne qui surveille la villa, dit Mimì en entrant. Et voilà une demi-heure, le temps d'arriver ici, il était encore seul.

— Mais peut-être qu'entre-temps, quelqu'un y est allé.

— Si c'est le cas, Fazio m'appelle de son portable. Mais toi, tu me dis tout de suite pourquoi tout à coup, tu t'es fourré dans la tronche de t'en prendre au Pr Ingrò.

— Parce que pour l'instant, ils le gardent dans les limbes. Ils n'ont pas encore décidé s'ils continuent à le faire besogner ou bien s'ils le tuent comme les Griffo ou Nenè Sanfilippo.

— Mais alors, le professeur, il est dans le coup ? demanda Augello, étonné.

— Il y est, il y est, dit Montalbano.

— Et qui te l'a dit ?

Un arbre, un olivier sarrasin, aurait été la réponse juste. Mais Mimì l'aurait pris pour un fou.

— Ingrid a téléphoné à Vania qui a très peur parce qu'il y a des choses qu'elle ne comprend pas. Par exemple, que Nenè connaissait très bien le professeur, mais ne le lui a jamais dit. Que son mari, quand il l'a découverte au lit avec son amant, il ne s'est pas mis en fureur, il ne s'est pas mis à souffrir. Mais il s'est inquiété, ça oui. Et puis, ça m'a été confirmé ce soir par Balduccio Sinagra.

— Oh, mon Dieu ! dit Mimì. Quel rapport, Sinagra ? Et pourquoi il aurait joué les balances ?

— Il a pas joué les balances. Il m'a dit qu'il avait besoin d'une transplantation rénale et s'est dit d'accord avec moi quand je lui ai donné le nom du Pr Ingrò. Il m'a aussi rapporté que le professeur a des problèmes de santé. Ça, tu me l'avais déjà dit, tu te rappelles ? Sauf que Balduccio et toi, vous donnez un sens différent au mot « santé ».

Le café était prêt. Ils le burent.

— Ecoute, reprit le commissaire, Nenè Sanfilippo a écrit toute l'histoire, en clair.

— Et où ?

— Dans le roman. Il a commencé par copier les pages d'un livre célèbre, puis il raconte l'histoire, puis il met un autre bout du roman et ainsi de suite. C'est une histoire de robots.

— C'est de la science-fiction, c'est pour ça qu'il m'a semblé…

— Tu es tombé dans le piège que Sanfilippo avait préparé. Ses robots, qu'il appelle Alpha 715 ou Omega 37, sont faits de métal et de circuits, mais raisonnent comme nous, ont les mêmes sentiments. Le monde des robots de Sanfilippo ressemble comme deux gouttes d'eau à notre monde.

— Et qu'est-ce qu'il raconte, le roman ?

— C'est l'histoire d'un jeune robot, Delta 32, qui tombe amoureux d'une robot, Gamma 1024, femme d'un robot connu dans le monde entier, Beta 5, parce qu'il est capable de remplacer les pièces cassées des robots par d'autres neuves. Le robot-chirurgien, appelons-le comme ça, est un homme, pardon, un robot qui a toujours besoin d'argent, parce qu'il a la manie des tableaux qui coûtent cher. Un jour, il s'enfonce dans une dette qu'il ne sait pas comment payer. Alors un robot-criminel, chef d'une bande, lui fait une proposition. A savoir : eux, ils lui donnent tout le fric qu'il veut, pourvu qu'il fasse clandestinement des greffes à des clients qu'ils lui procureront, eux, des clients de premier plan dans le monde, riches et puissants, qui n'ont ni le temps ni l'envie d'attendre leur tour. Le robot-professeur demande alors comment il sera possible d'obtenir les parties de rechange adéquates et de les faire arriver en temps utile. Ils lui expliquent alors que ça, ce n'est pas un problème : eux, ils sont en mesure de trouver la pièce de rechange. Et comment ? En envoyant à la casse un robot qui corresponde aux besoins et en démontant la pièce qui manque. Le robot cassé sera jeté à la mer ou fourré sous terre. Nous pouvons servir n'importe quel client, déclare le chef qui s'appelle Omicron 1. En chaque partie du monde, explique-t-il, il y a des gens détenus, dans des prisons, dans des camps spéciaux. Et dans chacun de ces camps, il y a un de nos robots. Et dans les parages de ces établissements, il y a un terrain d'atterrissage. Nous, ici, continue Omicron 1, nous ne sommes qu'une petite partie, notre organisation travaille dans le monde entier, elle est globalisée. Et Beta 5 accepte. Les demandes de Beta 5 seront transmises à Omicron 1, lequel à son tour les transmettra à Delta 32 qui, en se servant d'un système Internet très perfectionné, le fera connaître aux services disons opérationnels. Et là, le roman finit. Nenè Sanfilippo n'a pas eu l'occasion d'écrire la conclusion. La conclusion, pour lui, c'est Omicron 1 qui l'a écrite.

Augello réfléchit longtemps, visiblement toute la signification de ce que lui avait raconté Montalbano ne parvenait pas à s'éclaircir dans sa tête. Puis il comprit, blêmit et demanda d'une voix basse :

— Même les robots minots, naturellement.

— Naturellement, confirma le commissaire.

— Et comment l'histoire se continue, d'après toi ?

— Tu dois partir de la prémisse que ceux qui ont organisé l'affaire ont une responsabilité terrible.

— Bien sûr, la mort de…

— Pas seulement la mort, Mimì. La vie aussi.

— La vie ?

— Oui, la vie de ceux qui se sont fait faire la greffe. Ils ont payé un prix épouvantable, et je ne parle pas d'argent : ils ont payé de la mort d'un autre être humain. Si la chose venait à se savoir, ils seraient finis, où qu'ils se trouvent, à la tête d'un gouvernement, d'un empire économique, d'un colosse bancaire. Ils perdraient la face pour toujours. Donc, selon moi, les choses se sont passées ainsi. Un jour quelqu'un découvre la relation entre Sanfilippo et la femme du professeur. Vania, de ce moment, est un danger pour toute l'organisation. Elle représente le trait d'union possible entre le chirurgien et l'organisation mafieuse. Ces deux éléments doivent rester absolument séparés. Que faire ? Tuer Vania ? Non, le professeur se retrouverait au centre de l'enquête, dans la rubrique faits divers de tous les journaux… Le mieux est de liquider la centrale de Vigàta. Mais avant, ils annoncent au professeur la trahison de sa femme : il devra, d'après les réactions de Vania, comprendre si elle est au courant de quelque chose. Mais Vania ne sait rien. Elle est renvoyée dans ses pénates. L'organisation coupe toutes les pistes possibles qui puissent conduire à elle, aux Griffo, à Sanfilippo…

— Pourquoi ils ne tuent pas aussi le professeur ?

— Parce qu'il peut encore servir. Son nom est, comme disent les publicités, une garantie pour les clients. Ils attendent de voir comment ça tourne. Si ça s'arrange, ils le font recommencer à exercer, mais sinon, ils le tuent.

— Et toi, qu'est-ce que tu veux faire ?

— Qu'est-ce que je peux faire ? Rien, pour l'instant. Rentre chez toi, Mimì. Et merci. Fazio est encore à Santolì ?

— Oui. Il attend un coup de fil de moi.

— Appelle-le. Dis-lui qu'il peut aller dormir. Demain matin, on décidera comment continuer la surveillance.

Augello parla avec Fazio. Puis il dit :

— Il rentre chez lui. Rien de neuf. Le professeur est seul. Il est en train de regarder la télévision.

A trois heures du matin, après avoir enfilé une veste épaisse parce qu'au-dehors, il faisait froid, il monta en voiture et partit. Par Augello, il s'était fait expliquer, en affectant une simple curiosité, où était exactement localisée la villa d'Ingrò. Durant le voyage, il repensa à l'attitude de Mimì après qu'il lui eut fait le récit de l'affaire des transplantations. Lui, il avait eu la réaction qu'il avait eue, à deux doigts de se trouver mal, alors qu'Augello avait certes blêmi mais, ensuite, n'avait pas semblé impressionné plus que ça. Maîtrise de soi ? Manque de sensibilité ? Non, la raison était certainement plus simple : la différence d'âge. Lui était quinquagénaire, et Augello trentenaire. Augello était déjà prêt pour le prochain millénaire alors que lui ne le serait jamais. Voilà tout. Augello savait qu'il était en train d'entrer tout naturellement dans une époque de crimes impitoyables, commis par des anonymes qui avaient un site, une adresse sur Internet ou un truc de ce genre, et jamais de visage, jamais une paire d'yeux, une expression. Non, il était trop vieux désormais.

A une vingtaine de mètres de la villa, il s'arrêta et ne bougea plus, après avoir éteint les phares. Il examina attentivement les lieux à la jumelle. Des fenêtres ne filtrait pas un rai de lumière. Le Pr Ingrò devait être allé se coucher. Il sortit de la voiture, s'approcha d'un pas léger du portail de la villa. Il resta immobile encore une dizaine de minutes. Personne ne s'avança, personne dans l'ombre ne lui demanda ce qu'il voulait. Dans la lumière d'une minuscule lampe de poche, il examina la serrure du portail. Pas d'alarme. Etait-ce possible ? Puis il réfléchit que le Pr Ingrò n'avait pas besoin de systèmes de sécurité. Avec les amitiés qu'il avait, seul un pauvre fou pouvait se mettre en tête de venir lui dévaliser la villa. Il ne lui fallut qu'un instant pour ouvrir. Il y avait une large allée, bordée d'arbres. Le jardin devait être tenu dans un ordre parfait. Il n'y avait pas de chiens, à cette heure, ils l'auraient déjà attaqué. Avec son rossignol, il ouvrit aussi facilement la grande porte de la maison. Une vaste entrée donnait sur un salon vitré et menait dans d'autres pièces. Les chambres à coucher étaient à l'étage. Il monta un luxueux escalier couvert d'une moquette épaisse et moelleuse. Dans la première chambre, personne. Dans l'autre, en revanche, oui, quelqu'un respirait lourdement. De la main gauche, il tâta à la recherche d'un interrupteur, dans la main droite, il avait le pistolet. Il ne fut pas assez rapide. La lampe sur une des tables de chevet s'alluma.

Le Pr Ingrò était recroquevillé sur le lit, tout habillé, chaussures aux pieds. Et il ne montrait aucun étonnement de voir un homme inconnu et, de plus, armé, entrer dans sa chambre. Evidemment, il l'attendait. Cela puait le renfermé, la sueur, le rance. Le Pr Ingrò n'était plus l'homme que se rappelait le commissaire les deux ou trois fois qu'il l'avait vu à la télévision : il avait une longue barbe, les yeux rouges, les cheveux ébouriffés.

— Vous avez décidé de me tuer ? demanda-t-il d'une voix basse.

Montalbano ne répondit pas. Il se tenait encore immobile sur le seuil, le bras armé pendant sur le côté, mais l'arme bien en vue.

— Vous êtes en train de commettre une erreur, dit Ingrò.

Il allongea une main vers la table de nuit – Montalbano la reconnut, il l'avait vue dans l'enregistrement de Vania dénudée –, prit le verre qui se trouvait dessus, but une longue gorgée d'eau. Il s'en versa un peu sur lui, sa main tremblait. Le verre reposé, il reprit la parole.

— Je peux vous être encore utile.

Il mit les pieds à terre.

— Où est-ce que vous trouverez quelqu'un d'aussi fort que moi ?

« Plus fort, non, mais plus honnête, oui », pensa le commissaire, mais il ne dit rien. Il laissait l'autre macérer dans son jus. Mais peut-être valait-il mieux lui donner une secousse. Le professeur s'était mis debout et Montalbano, très lentement, leva le pistolet et le lui pointa sur la tête.

Alors, il comprit. Comme si on lui avait coupé le câble invisible qui le tenait, l'homme tomba à genoux. Il joignit les mains.

— Par pitié ! Par pitié !

Pitié ? Celle qu'il avait manifestée envers ceux qu'il avait fait saigner, exactement ça, saigner ?

Il pleurait, le professeur. Des larmes et de la salive faisaient briller sa barbe sur le menton. C'était ça, le personnage conradien qu'il s'était imaginé ?

— Je peux te payer, si tu me laisses m'enfuir, murmura Ingrò.

Il porta une main à sa poche, en tira un trousseau de clés, le tendit à Montalbano qui ne bougea pas.

— Ces clés… tu peux te prendre tous mes tableaux… une fortune… tu deviendras riche.

Montalbano n'y tint plus. Il avança de deux pas, leva le pied et le balança en plein dans le visage du professeur. Qui tomba en arrière, réussissant cette fois à crier.

— Non ! Non ! Ça non !

Il se tenait le visage entre les mains, le sang, de son nez brisé, lui coulait entre les doigts. Montalbano souleva encore le pied.

— Ça suffit, dit une voix dans son dos.

Il se retourna d'un coup. Sur le seuil se tenaient Augello et Fazio, tous deux le pistolet à la main. Ils se regardèrent dans les yeux, se comprirent. Et le thiâtre commença.

— Police, dit Mimì.

— On t'a vu entrer, bandit ! dit Fazio.

— Tu voulais le tuer, hein ? récita Mimì.

— Jette ton pistolet ! intima Fazio.

— Non ! cria le commissaire.

Il attrapa Ingrò par les cheveux, le tira en arrière, lui pointa le pistolet sur la tempe.

— Si vous ne vous en allez pas, je le tue !

D'accord, la scène avait été déjà vue et revue dans quelques films américains, mais tout bien pesé, ils devaient se féliciter de leur improvisation. A ce point, comme le voulait le scénario, ce fut au tour d'Ingrò de parler.

— Ne vous en allez pas ! implora Ingrò. Je vous dirai tout ! Je vais avouer ! Sauvez-moi.

Fazio bondit, agrippant Montalbano, tandis qu'Augello tenait fermement Ingrò. Il y eut une fausse bagarre, Fazio contre le commissaire, puis le premier l'emporta. Augello prit la situation en main.

— Passe-lui les menottes, ordonna-t-il.

Mais le commissaire avait encore des dispositions à donner, ils devaient absolument se mettre d'accord, suivre une ligne commune. Il agrippa le poignet de Fazio qui se laissa désarmer, comme pris par surprise. Montalbano tira un coup de feu qui l'assourdit et s'enfuit. Augello se libéra du professeur qui, en pleurs, s'était agrippé à son épaule et se précipita à la poursuite de Montalbano. Ce dernier était arrivé au bas de l'escalier quand il trébucha sur la dernière marche et tomba en avant. Un coup de feu lui échappa. Mimì, criant toujours « arrête ou je tire », l'aida à se relever. Ils sortirent de la maison.

— Il s'est chié dessus, dit Mimì. Il est cuit.

— Bien, dit Montalbano. Emmène-le à la questure, à Montelusa. Durant le trajet, arrêtez-vous, regardez autour de vous, comme si vous craigniez un guet-apens. Quand il va se trouver devant le questeur, il faut qu'il dise tout.

— Et toi ?

— Je me suis échappé, dit le commissaire en tirant un coup de feu en l'air pour faire bon poids.

Il s'en retournait à Marinella quand il se ravisa. Il fit demi-tour, en direction de Montelusa. Il prit la voie de contournement, s'arrêta devant le 38, via De Gasperi. Là habitait son ami Nicolò Zito. Avant de sonner à l'interphone, il regarda l'heure. Presque cinq heures du matin. Il dut sonner trois fois, et longtemps, avant d'entendre la voix de Nicolò mi-endormie, mi-enragée.

— Montalbano, je suis. Je dois te parler.

— Attends que je descende, parce que sinon tu vas réveiller toute la maison.

Peu après, assis sur une marche, Montalbano lui raconta tout tandis que de temps à autre, Zito l'interrompait.

— Attends, ô Seigneur ! s'exclamait-il.

Il avait besoin d'une pause, le récit lui coupait le souffle, l'étouffait.

— Que dois-je faire ? demanda-t-il seulement quand le commissaire eut fini.

— Ce matin, fais une édition spéciale. Reste dans le vague. Dis que le Pr Ingrò se serait constitué prisonnier parce qu'il serait impliqué, paraît-il, dans un louche trafic d'organes… Tu dois grossir la nouvelle, elle doit arriver aux journaux, aux chaînes nationales.

— De quoi tu as peur ?

— Qu'ils mettent tout sous une chape de silence. Ingrò a des amis trop importants. Et un autre service.

Dans l'édition de une heure, sors une autre histoire, dis, en restant toujours dans le vague, que Jacopo Sinagra, dit Japichinu, criminel en cavale, aurait été assassiné. Il paraît qu'il faisait partie de l'organisation qui avait le Pr Ingrò sous ses ordres.

— Mais c'est vrai ?

— Je pense que oui. Et je suis presque sûr que c'est le motif pour lequel son grand-père, Balduccio Sinagra, l'a fait tuer. Non pas par scrupules moraux, attention. Mais parce que son petit-fils, fort de l'alliance avec la nouvelle mafia, aurait pu le liquider quand il voulait.

Il était sept heures du matin quand il put aller se coucher. Il avait décidé de dormir toute la matinée. Dans l'après-midi, il irait à Palerme chercher Livia qui arrivait de Gênes. Il réussit à se faire deux heures de sommeil, puis le téléphone le réveilla. C'était Mimì. Mais ce fut le commissaire qui parla le premier.

— Pourquoi cette nuit, vous m'avez suivi bien que je…

— … bien que tu aies essayé de nous baiser la gueule ? termina Augello. Mais Salvo, comment tu peux croire que Fazio et moi, on comprend pas ce que tu penses ? J'ai ordonné à Fazio de ne pas s'éloigner des parages de la villa, même si je lui donnais un contrordre. Tôt ou tard, tu arrivais. Et quand tu es sorti de chez toi, je t'ai filé le train. Et nous avons bien fait, il me semble.

Montalbano encaissa et changea de sujet.

— Comment ça s'est passé ?

— Un bordel, Salvo. Tout le monde s'est précipité, le questeur, le procureur général… Et le professeur qui parlait, qui parlait… On arrivait pas à l'arrêter… On se voit plus tard au bureau, je te raconterai tout.

— Mon nom n'est pas sorti, pas vrai ?

— Non, sois tranquille. Nous avons expliqué que nous passions par hasard devant la villa, que nous avons vu le portail et la grande porte ouverts et que nous avons été pris de soupçon. Malheureusement, le tueur a réussi à s'échapper. A plus tard.

— Aujourd'hui, je ne viens pas au bureau.

— Le fait est, dit Mimì, embarrassé, que demain, je ne viens pas.

— Et où tu vas ?

— A Tindari. Comme Beba doit y aller pour son travail habituel…

Et si ça se trouvait, durant le voyage, il s'achèterait aussi une batterie de cuisine.

De Tindari, Montalbano se rappelait le petit et mystérieux théâtre grec et la plage en forme de main aux doigts de rose… Si Livia restait quelques jours, une excursion à Tindari, on pouvait y penser.

Note de l'auteur

Dans ce livre, tout – noms, prénoms (surtout pré-noms), situations – est inventé de A à Z. S'il y a une quelconque coïncidence, elle est due au fait que mon imagination est limitée.

Ce livre est dédié à Orazio Costa, mon maître et ami.

"Le Maigret sicilien"

La voix du violon
Andrea Camilleri

Ayant trouvé par hasard le cadavre d'une femme dans une villa à demi abandonnée, le commissaire Montalbano découvre que la victime, Michela Licalzi, possédait à son insu un violon estimé à plusieurs milliards de lires. Épouse d'un médecin impuissant, elle était aussi la maîtresse d'un antiquaire passionné par le jeu et criblé de dettes, prêt à tout pour obtenir quelques deniers…

(Pocket n°11390)

Il y a toujours un Pocket à découvrir

"Mystère à Vigàta"

Le voleur de goûter
Andrea Camilleri

Un retraité poignardé dans un ascenseur, un pêcheur tunisien abattu au large de Vigàta, une prostituée radieuse, un colonel nain, une vieille institutrice handicapée, un enfant abandonné... C'est en ronchonnant, fidèle à lui-même, que le commissaire Montalbano tente de trouver le lien qui relie cet ensemble hétéroclite de personnages. En ronchonnant avec d'autant plus d'aigreur que dans l'affaire s'infiltrent les services secrets, incarnation d'une Italie occulte et malfaisante...

(Pocket n°11391)

Il y a toujours un Pocket à découvrir

"Le secret de la grotte"

Chien de faïence
Andrea Camilleri

Tano u Grecu, un mafieux de grande envergure menacé par ses pairs, décide de se livrer au commissaire Montalbano. Mais il est abattu par ses anciens complices après avoir révélé l'existence d'une cache d'armes dans une grotte des environs de Vigàta. Une grotte qui n'abrite pas seulement des armes, mais aussi les corps de deux amants enlacés, morts une cinquantaine d'années plus tôt et sur lesquels veille un chien de faïence...

(Pocket n°11347)

Achevé d'imprimer sur les presses de

BUSSIÈRE

GROUPE CPI

à Saint-Amand-Montrond (Cher)
en mars 2004

POCKET - 12, avenue d'Italie - 75627 Paris Cedex 13
Tél. : 01-44-16-05-00

— N° d'imp. : 41618. —
Dépôt légal : avril 2004.

Imprimé en France